Донцова

Дарья Донцова
БАШНЯ ЖЕЛАНИЙ

Сказки Прекрасной Долины

Читайте романы примадонны иронического детектива
Дарьи Донцовой

Сериал «Любительница частного сыска Даша Васильева»:

Сериал «Евлампия Романова. Следствие ведет дилетант»:

Сериал «Виола Тараканова. В мире преступных страстей»:

Черт из табакерки
Три мешка хитростей
Чудовище без красавицы
Урожай ядовитых ягодок
Чудеса в кастрюльке
Скелет из пробирки
Микстура от косоглазия
Филе из Золотого Петушка
Главбух и полцарства в придачу
Концерт для Колобка
с оркестром
Фокус-покус от Василисы
Ужасной
Любимые забавы папы Карло
Муха в самолете
Кекс в большом городе
Билет на ковер-вертолет
Монстры из хорошей семьи
Каникулы в Простофилино
Зимнее лето весны
Хеппи-энд для Дездемоны
Стриптиз Жар-птицы
Муму с аквалангом

Горячая любовь снеговика
Человек-невидимка в стразах
Летучий самозванец
Фея с золотыми зубами
Приданое лохматой обезьяны
Страстная ночь в зоопарке
Замок храпящей красавицы
Дьявол носит лапти
Путеводитель по Лукоморью
Фанатка голого короля
Ночной кошмар Железного
Любовника
Кнопка управления мужем
Завещание рождественской утки
Ужас на крыльях ночи
Магия госпожи Метелицы
Три желания женщины-мечты
Вставная челюсть Щелкунчика
В когтях у сказки
Инкогнито с Бродвея
Закон молодильного яблочка
Гимназия неблагородных девиц

Сериал «Джентльмен сыска Иван Подушкин»:

Букет прекрасных дам
Бриллиант мутной воды
Инстинкт Бабы-Яги
13 несчастий Геракла
Али-Баба и сорок разбойниц
Надувная женщина для
Казановы
Тушканчик в бигудях
Рыбка по имени Зайка
Две невесты на одно место
Сафари на черепашку
Яблоко Монте-Кристо

Пикник на острове сокровищ
Мачо чужой мечты
Верхом на «Титанике»
Ангел на метле
Продюсер козьей морды
Смех и грех Ивана-царевича
Тайная связь его величества
Судьба найдет на сеновале
Авоська с Алмазным фондом
Коронный номер мистера Х
Астральное тело холостяка
Кто в чемодане живет?

Сериал «Татьяна Сергеева. Детектив на диете»:

Старуха Кристи – отдыхает!
Диета для трех поросят
Инь, янь и всякая дрянь
Микроб без комплексов
Идеальное тело Пятачка
Дед Снегур и Морозочка
Золотое правило Трехпудовочки
Агент 013
Рваные валенки мадам Помпадур
Дедушка на выданье
Шекспир курит в сторонке
Версаль под хохлому

Всем сестрам по мозгам
Фуа-гра из топора
Толстушка под прикрытием
Сбылась мечта бегемота
Бабки царя Соломона
Любовное зелье колдуна-болтуна
Бермудский треугольник черной
вдовы
Вулкан страстей наивной незабудки
Страсти-мордасти рогоносца
Львиная доля серой мышки
Оберег от испанской страсти

Сериал «Любимица фортуны Степанида Козлова»:

Развесистая клюква Голливуда
Живая вода мертвой царевны
Женихи воскресают по пятницам
Клеопатра с парашютом
Дворец со съехавшей крышей
Княжна с тараканами

Укротитель Медузы горгоны
Хищный аленький цветочек
Лунатик исчезает в полночь
Мачеха в хрустальных галошах
Бизнес-план трех богатырей
Голое платье звезды

Дарья Донцова

Пятизвездочный теремок

роман

УДК 821.161.1-31
ББК 84(2Рос=Рус)6-44
Д67

Донцова, Дарья.
Д67   Пятизвездочный теремок : роман / Дарья Донцова. —
Москва : Эксмо, 2018. — 320 с.

ISBN 978-5-04-091866-9

УДК 821.161.1-31
ББК 84(2Рос=Рус)6-44

© Донцова Д., 2018
© Оформление. ООО «Издательство «Эксмо», 2018

УДК 821.161.1-312.4
ББК 84(2Рос=Рус)6-44
Д67

Оформление серии *В. Щербакова*

Иллюстрация на обложке *В. Остапенко*

Под редакцией *О. Рубис*

Донцова, Дарья Аркадьевна.

Д67   Пятизвездочный теремок / Дарья Донцова. —
Москва : Издательство «Э», 2018. — 320 с. —
(Иронический детектив).

ISBN 978-5-04-091866-9

Кто-кто в теремочке живет?.. Евлампия Романова с дочкой Кисой приехали на каникулы в санаторий «Теремок» и
сразу оказались в центре событий. Приключения начались с
поездки в мини-зоопарк и посещения русской избы, где их
потчевала чаем с пирогами гостеприимная Вероника. Там же
Лампа знакомится с Таней, а Киса с ее дочкой Светой. Таня
потеряла сережку, Ника ее нашла и вернула хозяйке. Мама с
дочкой уехали, и тут начался грандиозный скандал. Богатая
гостья санатория обвинила Нику в похищении антикварной
серьги с бриллиантами и сапфирами. Лампа по просьбе хозяек «Теремка» едет к Татьяне за украшением и узнает, что у
той похитили сестру, и все дороги ведут... Куда? Правильно!
Так кто-кто в теремочке живет?..

УДК 821.161.1-312.4
ББК 84(2Рос=Рус)6-44

ISBN 978-5-04-091866-9

Глава 1

«Женщине, которая хочет стать счастливой в браке, надо обладать хорошим здоровьем и плохой памятью».

— Если заболеешь, то не сможешь с мужем в кино пойти, — философствовала Киса, — ему это не понравится, скандал получится. Значит, про здоровье правильно сказано. А про плохую память тетя ошиблась. Она же все забывать начнет, попросят ее дети с уроками помочь, мать кивнет, а потом раз — и все вылетело из головы, продуктов не купит.

Я покосилась на соседний столик, где сидела кудрявая блондинка в зеленом платье, которая только что громко произнесла эту фразу, и пояснила:

— На мой взгляд, она права. Представь, что ты разбила дорогую вазу.

— У нас таких нет, — возразила девочка.

Я изменила условия задачи:

— Ты пошла гулять с Фирой и Мусей, потеряла их...

— Меня одну не отпускают, — опять не согласилась Киса.

— Взяла в гимназию вместо ранца мою сумку и...

— Зачем она мне? — удивилась Киса. — Я не маленькая, не перепутаю.

Я вздохнула.

— Макс может разбить машину?

— Нет, — твердо ответила Киса, — он хорошо водит, всегда осторожно ездит.

— Ах ты, идиот! — завизжал пронзительный дискант. — Косорукий!

Мы с Кисой одновременно повернулись в сторону вопля. Неподалеку от нас стояла маленькая тощенькая женщина, похожая на злую птицу, по ее голубому свитеру стекали красные струйки. Рядом топтался крупный мужчина с чашкой в руке.

— Говорила мне мама, — голосила незнакомка, — не выходи замуж за Кольку. Дурак он. Почему я не послушалась? Стал идиот семь лет назад окно мыть — разбил. На даче в позапрошлом году забор взялся чинить — так повалил. Сейчас сок томатный нес. И где он, а? На мне! Когда мы поженились, ты, болван, часы вешал на стену — грохнул ходики...

— Ну, Люся, — смущенно забубнил супруг, — я не нарочно.

— Кретин! — отрезала баба и выбежала из ресторана.

— Сама коза, — с запозданием отреагировал муж, — ведешь подсчет того, что я не так сделал! А кто тебе шубу купил? Между прочим, из африканской норки!

— В Африке они не живут. Из дохлой кошки подарочек, — ответила из коридора его супруга, — ты мне надоел с ней. Один раз приобрел дешевую доху, и сто лет она у тебя показатель твоей любви. Я сносила ее давно.

Муж стиснул зубы и кинулся за женой.

— Вот у них хорошая память, — вздохнула я, — тетка помнит все плохое о муже, а он не может забыть, какой ей подарок преподнес. И ругаются поэтому постоянно. Им бы немного склероза, и зажили бы счастливо.

— Нет, — снова не согласилась Киса, — нужно о плохом не вспоминать, а все хорошее, что тебе другой сделал, помнить.

— Добрый день, — произнес очень приятный голос.

Я обернулась. Рядом с нашим столиком стояла женщина лет тридцати пяти в темно-синем платье, на котором белел бейджик: «Воспитатель».

— Вы госпожа Романова? — уточнила она.

— Да, — подтвердила я.

— Мне надо с вами поговорить, — сказала незнакомка.

— Простите, вы кто? — осведомилась я.

— Валентина Марковна Горкина, — представилась дама. — Вы записали свою девочку в студию ремесел. Я веду там занятия.

Я подавила вздох. Ну и что натворила Киса?

— В нашем санатории, — завела Валентина, — мамочки и детки получают все необходимое. Мы стараемся обеспечить им максимальный комфорт проживания. У вас удобная комната?

— Вполне, — ответила я.

— Вам не тесно с девочкой в одной спальне? — спросила воспитательница.

— У нас две спальни, гостиная и кабинет, — уточнила я, — номер люкс.

Собеседница расплылась в улыбке.

— Ну тогда жалоб на условия нет.

— Вешалок в шкафу мало, полотенец всего три, подушки жесткие, — деловито перечислила Киса. — Путевка стоит как в пять звезд, а на самом деле здесь уровень трех.

— Экая ты придирчивая, — воскликнула Валентина.

— Я говорю правду, — возразила Киса, — если вы заплатите за полкило сыра, а получите двести граммов, будете улыбаться? Наверное, потребуете отдать то, что не получили. А почему в вашем санатории иначе? У вас на сайте написано, что в люксе телевизор в каждой комнате. А у нас только в гостиной. И...

— Девочка, — остановила Кису Валентина, — поди погуляй!

— Зачем? — спросила Киса.

— Нам с твоей мамой надо поговорить.

— Хорошо, я помолчу, — пообещала Кисуля.

— Наедине, — уточнила Валентина, — без тебя. Ступай. Оставь взрослых.

Я кашлянула.

— Валентина Марковна, Киса останется за столом. Она обедает. Слушаю вас.

— Тема беседы не для детей, — разозлилась воспитательница, — вам нужно объяснить дочке правила поведения.

— Это мой ребенок, — возразила я, — и мое воспитание.

— Наплачетесь вы с ней, — фыркнула Горкина. — Я не хотела доставлять девочке неприятные переживания, но вы сами так решили. Киса сегодня занималась в кружке лепки. Я всегда провожу тестирование детей. Ваш ребенок продемонстрировал интеллект на пять баллов.

— Прекрасно, — обрадовалась я.

— По стобалльной системе, — уточнила Валентина.

— Это невозможно, — отрезала я.

— Она у вас элементарного не знает, — заявила Горкина. — Не верите?

— Конечно, нет, — сказала я.

— Удивительно, но матери умственно отсталых отпрысков всегда считают их гениальными, — закатила глаза воспитательница.

Потом она открыла свою сумку, вытащила оттуда муляжи яблока, апельсина, банана и груши, положила их на стол и спросила:

— Это что?

У Кисы вытянулось лицо:

— Вы меня уже спрашивали.

— На занятии, — подтвердила Валентина, — а теперь при матери ответь: что это? Мамаша тебя считает интеллектуалкой. Вот и продемонстрируй нам свой ум.

— Не помню, — расстроилась Киса, — ведь знала! И забыла! Па... ма... ше... как-то так...

— Кисонька, ты что, прикидываешься? — спросила я.

— Нет, — чуть не плача, ответила девочка, — па... маша... па... и им... ц...

Я опешила.

— Ну... убедились? — злорадно спросила Валентина. — Она не могла назвать фрукты!

— Фрукты? — повторила Киса. — Где они?

Воспитательница схватила один муляж:

— Вот.

— Нет, — засмеялась Киса, — это не яблоко! Не фрукт! Это... па... О! Папье-маше! Вспомнила. Яблоко вкусное, сочное, пахнет приятно. А от муляжа воняет клеем, он пачкается, у вас пальцы в краске. Разве вы фрукт держите? Это папье-маше!

Я прикусила губу. У Кисы конкретное мышление, и она права. Сейчас воспитательница положила на стол вовсе не сочное яблоко.

Валентина открыла рот, а Кисуля продолжала:

— Грушу я съем с удовольствием, а то, что вы достали, жевать не стану. И вам не стоит. Отравитесь.

— Кисонька, представь, что это настоящие фрукты, — сдавленным голосом попросила я, — скажи нам громко, как они называются?

— Это даже малыши знают, — засмеялась Киса, — банан, яблоко... Дальше надо?

— Спасибо, милая, — поблагодарила я и посмотрела на Валентину: — Первоклассница, которая справедливо говорит, что перед ней имитация из папье-маше, а не настоящие фрукты не может считаться ребенком с неразвитым интеллектом. Она просто забыла слово «папье-маше».

— Зато я хорошо помню, из чего его делают. Старые газеты или другая бумага, клей. Поэтому оно так противно пахнет, — заявила Киса.

— Ребенка надо показать психиатру, — не сдалась Горкина.

— Вас не устраивает правильное объяснение состава папье-маше? — уточнила я.

— Девочке требуется психиатр, — пошла вразнос Валентина, — я не могу оставить ее в кружке. Сумасшедшие агрессивны. На вопрос о родителях девочка сказала, что ее родная мать умерла, она живет у отца, а воспитывает ее лампа, которую Киса очень любит. Бред!

Киса подняла вилку, которой ела салат, и показала на меня:

— Верно. Она Лампа.

— Слышали? — торжествующе осведомилась Горкина. — Вы лампа! Здорово, да? Интересно, какая? Настольная, люстра, торшер? И, как больная, вилкой размахивает! Того и гляди глаза нам выколет!

— Уважаемая госпожа Горкина, — постаралась спокойно говорить я, — мое имя Евлампия, друзья и члены семьи называют меня просто Лампа. Родная мать Кисы, к сожалению, скончалась. Девочка — дочь моего мужа, я ее удочерила. Киса верно объяснила: ее воспитывает Лампа. Не электрическая. Не керосиновая. Не газовая. Просто имя такое. Ваши занятия мой ребенок посещать не станет. До свидания.

— Ну... я не знала... — забубнила Валентина, — побоялась, что сумасшедшая на кого-нибудь накинется... Но раз она с головой дружит, я допускаю ее в кружок. Пусть завтра...

— Валентина, — перебила я Горкину, — Киса к вам больше не придет!

— Занятия бесплатные.

— Спасибо, нет.

— Стоимость обучения азам искусства включена в путевку.

— Спасибо. Нет, — повторила я.

— Ребенок должен посещать центр!

— По какой причине? — изумилась я.

— Вы должны научить девочку ценить деньги. Раз мать их потратила, нужно получить знания.

— Извините, мы хотим пообедать, — отрезала я, — вдвоем.

Валентина встала.

— Из-за таких, как вы, страдают другие постояльцы. Дети должны находиться на огороженной территории центра. Иначе они бегают, орут, мешают нормальным людям отдыхать. От шума и гама у всех мигрень начинается.

Я встала.

— Кисонька, поехали домой. Поедим где-нибудь в ресторане.

Девочка вскочила, мы пошли к двери.

— В люксе поселились, так на всех им, богачам, плевать! — крикнула нам в спину воспитательница. — Детей эгоистами растят. Поплачете, когда она вам стакан воды перед смертью не подаст. Да уж поздно будет слезы лить-то.

Глава 2

Не успели мы войти в номер, как Киса кинулась к холодильнику и вытащила оттуда бутылку минералки.

— Держи, Лампуша.

— Спасибо, пить не хочется, — удивилась я, не понимая, с чего вдруг Киса решила меня напоить.

— Я всегда дам тебе стакан воды, — затараторила девочка, — и вообще все отдам. Хочешь мой пазл из пяти тысяч кусков?

— Ужас! Мне такой ни за что не сложить, — испугалась я.

— Я тебе обязательно с картинкой помогу, — заверила Киса. — Лампа, ты же не умрешь?

Я обняла ее.

— Нет.

— Никогда?

Есть вопросы, на которые не стоит давать честный ответ.

— Буду жить вечно!

Киса ухмыльнулась.

— Правда, воспитательница дура?

— Не надо грубо говорить о людях, — остановила я ее.

— Дурака нельзя называть дураком? — уточнила малышка.

— Нет, — после короткой паузы ответила я, — лучше найти более вежливые слова.

— И как вести себя с Валентиной Марковной? — поинтересовалась Киса. — Что произнести, если хочешь сказать: «Тетя, вы дура»?

Я вздохнула.

— Лучше промолчать, проглотить фразу.

Кисуля постучала себя по груди кулачком:

— А если внутри прямо вулкан кипит! Почему она меня умственно отсталой назвала?

Я опять обняла малышку.

— Думаю, ей надо объяснить так: «К сожалению, Валентина Марковна, вы склонны к поспешным выводам, которые делаете, не имея достаточного количества информации о человеке». В этом случае нет ни злобы, ни раздражения, есть лишь констатация факта.

— Констатация факта? — заморгала Кисуля. — Это что?

Я пустилась в объяснения.

— Если свинью назвать свиньей, а козу — козой, это не оскорбление. Коза и есть коза, свинья есть свинья. А вот когда козу обзывают свиньей...

Я открыла бутылку и стала пить прямо из горлышка. Чем старше становится Киса, тем более сложные вопросы она задает.

— Поняла! — подпрыгнула девочка. — Стол — он стол. Дура — она дура. Назвать дуру дурой это не обида, а констатация факта. Точка! Я пошла складывать вещи.

Весело распевая, Кисуля умчалась.

Я выдохнула. Молодец, Лампа, медаль тебе на грудь и денежное вознаграждение в придачу. Отлично объяснила девочке что к чему. Дура — она дура, и если ей это сказать, то не будет обидно. Гениальный вывод. И ведь я сама Кисе так заявила.

На стене пискнул домофон.

— Кто там? — спросила я, глядя на экран.

— Лиза Королева, — ответила молодая женщина, — одна из владелиц санатория. Разрешите войти?

Я нажала на кнопку.

— Простите, пожалуйста, — произнесла Елизавета, входя в номер, — мы с мамой просто в шоке. Валентина Марковна наш новый сотрудник. До нее у нас служила Сонечка, дети ее обожали. Но девушка вышла замуж, уехала в Питер. Горкину мне рекомендовал приятель, и вот какой конфуз получился! Знаю, как она с вами поговорила. Пожалуйста, не прерывайте свой отдых.

Я молча слушала Королеву. Если честно, покидать санаторий мне совсем не хочется. Мужа спешно вызвал клиент, Макс улетел за границу. У Кисы сейчас каникулы, она совершенно свободна. Идея отдохнуть на свежем воздухе показалась мне удачной. Сразу после Нового года я начала подыскивать подходящее место, ничего особенного я не хотела. Искала заведение вблизи Москвы, где можно снять номер из нескольких комнат. Поскольку я сейчас занимаюсь поиском нового жилья для семьи, то намеревалась ездить в столицу, чтобы смотреть варианты. К сожалению, квартиры мечты пока не попалось. А к осени хочется переехать. Ареал поисков ограничен одним районом. Киса наконец-то пошла в хорошую школу, нельзя снова переводить девочку. Теперь понимаете, почему я решила найти отель, где есть хорошая программа для детей? Пока Кисуля будет лепить, танцевать, петь, плавать, за ней присмотрят, а я спокойно съезжу в столицу. Киса не из тех детей, которые каждую секунду готовы к подвигам. Но если она останется одна, я вся изнервничаюсь.

Открыв первый раз в поисковике список мест для отдыха в Подмосковье, я увидела массу сообщений и обрадовалась: проблем не будет, вон сколько красивых фото и заманчивых предложений.

Первым делом я обратила внимание на «Розовые закаты». На сайте пансионата указывалось: «Мы находимся на живописном лоне природы. Идеальное сочетание цена — обслуживание. Пятиразовое питание. Прекрасные номера». Я поехала по указанному адресу и увидела трехэтажное здание, похожее на школу, в которой некогда тосковала на уроках я, девочка Романова. Красную кирпичную постройку окружали чахлые деревья. Меж ними стоял столб с табличкой «Лес дружбы. Посажен воспитанниками детского сада «Неунывайка». Я уловила неприятный запах, огляделась и увидела, что неподалеку расположена помойка, над которой поднимался столб дыма. Вы здесь захотите отдыхать?

Другой пансионат хвастался тем, что он существует с конца девятнадцатого века, в нем прекрасно проводили время члены царской семьи, а после большевистского переворота там жили представители советской элиты. Я опять села за руль, прикатила по указанному адресу и заликовала. Огромный дом с белыми колоннами и впрямь располагался в сосновом бору, воздух был чудесный. Но когда я вошла внутрь... Нет, на сайте не солгали, ну разве что самую малость. Подредактировали дату основания здравницы. На фасаде были выложены мозаикой цифры «1925 г.», здание возвели в середине двадцатых годов прошлого века. И все в нем осталось таким, как в день открытия. Красные ковровые дорожки, бархатные шторы, дубовый паркет, натертый мастикой, фикусы в здоровенных кадках, скрипучие кровати, на которых возлежали стеганые ватные матрасы, огромные трехстворчатые гардеробы. Душевая в конце коридора. Правда, в номере находился индивидуальный туалет: в комнате за ширмой стоял биоунитаз. Я приехала к завтраку и ощутила приступ ностальгии. В столовой раздавали жидкую манную кашу, в центре которой желтела лужица растопленного сливочного масла. И обслуживающий персонал был под стать: семь тетушек в домашних тапках. И их совокупный возраст, на мой взгляд, составлял тысячу лет. Сотрудница, которая водила меня по углам и закоулкам богоугодного заведения, в какой-то момент предалась воспоминаниям:

— Помню, как у нас тут поправлял здоровье Павел Корчагин. Я тогда была старшей по этажу.

Зная, что этого человека не существовало в действительности, он плод фантазии писателя Николая Островского, главный герой книги «Как закалялась сталь», которую рекомендовал читать всем советским школьникам, я едва не рассмеялась. Но посмотрела на буйную «химию», которая стояла дыбом на голове сопровождающей, на черные ниточки ее бровей и поверила горничной. Она точно видела Павла Корчагина.

Следующим местом, куда я направила свои стопы, была здравница «Бриллиант». Я была восхищена и номером, и ресторанами, и детской программой и уже приготовилась купить путевку, но тут менеджер нежно пропела:

— За десять дней по системе «все включено» с вас всего два миллиона.

Я икнула и уточнила:

— Рублей?

— Конечно, — улыбнулась очаровательная блондинка, — мы не задираем цены, работаем для массового клиента.

Продолжая икать, я побежала к машине, быстро производя в уме расчеты. Получается двести тысяч в сутки. Летом мы всей семьей летали в Париж, сделали Кисе на день рождения подарок: посещение Диснейленда, потом погуляли по столице Франции. Перелет экономклассом, недорогая, но уютная гостиница, музеи, маленькие ресторанчики, лавочки с одеждой... Мы вернулись, нагруженные покупками, с массой замечательных впечатлений. Киса гордо вышла в Шереметьево из самолета, наряженная в костюм Русалочки, длинный рыбий хвост ей совсем не мешал. Поверьте, поездка нам стоила вменяемых денег. Сейчас на мне чудесный розовый свитер, который я купила в крохотном парижском магазинчике за тридцать евро. Два миллиона за десять дней в Подмосковье? Без комментариев.

Когда я уже отчаялась найти подходящее место отдыха, Алина, секретарь Макса, дала мне наводку: санаторий «Теремок».

— Там здорово, — объяснила она, — мы ездили недавно с Костиком, сын в восторге: бассейн, всякие занятия, еда вкусная и цена не кусается.

Вчера утром мы с Кисой поселились в отличном номере, весело провели день, вкусно поели. Я пребывала в восторге. И, пожалуйста, за обедом встреча с гарпией Горкиной...

Владелица санатория сложила молитвенно руки.

— Не знаю, кем вы работаете...

— Я домашняя хозяйка, — соврала я, — мой супруг бизнесмен. Иногда я ему помогаю.

Лиза продолжила:

— Наверное, из рассказов мужа вы знаете, как трудно найти ценного сотрудника. Мне очень неудобно, что вы пережили неприятные минуты общения с явно больной особой. Она уже уволена.

— Как вы узнали о нашем разговоре? — удивилась я.

— Камеры, — пояснила Елизавета, — они установлены во всех общественных помещениях. В номерах, естественно, их нет. Охрана стала свидетелем безобразного поведения воспитательницы. В нашей практике подобное случилось впервые. Очень вас прошу, не уезжайте.

— Лампа! — закричала Киса. — Вода течет прямо по полу!

Мы с Лизой молча кинулись в глубь номера и увидели, что коридор превратился в бассейн.

Елизавета выхватила из кармана трубку:

— Егор! Срочно во второй люкс. Авария. Возможно, трубу прорвало.

Глава 3

Примерно через час, когда я спустилась в холл, ко мне подошла немолодая, прекрасно сохранившаяся дама в дорогом твидовом костюме и с ниткой жемчуга на шее.

— Евлампия Андреевна, я Маргарита Федоровна Борисова, совладелица санатория. Мне доложили, что вы с дочкой собрались нас покинуть. Можем ли мы как-то изменить ваше решение? Валентине дали расчет, я внесла ее данные в черный список, который составляется хозяевами гостиниц, пансионатов. Заверяю со всей ответственностью: Горкину никто никогда на службу не возьмет.

Я ответила:

— У меня нет желания наказывать воспитательницу. После разговора с Елизаветой, вашим партнером по бизнесу, я хотела остаться. Но случилась авария. Номер залит водой, жить в нем невозможно. Люксов у вас всего три, все заняты. Свободных двухместных номеров тоже нет. Единственное помещение, куда мы можем въехать, — маленькая комната над кухней. Там нет душа, только туалет, очень тесно. Простите, у вас телефон звонит.

Я показала на трубку, она лежала вверх экраном на стойке ресепшен рядом со мной, поэтому я хорошо разглядела написанное латинским шрифтом слово «Dreck»[1]. Маргарита схватила айфон и сбросила вызов, но на другом конце провода проявили настойчивость и снова вызвали даму, на этот раз она сердито ответила:

— Слушаю.

Аппарат она держала, не прижав к уху, поэтому я, стоявшая рядом, услышала мужской голос:

— Привет. Кальман беспокоит.

— Поняла, — процедила сквозь зубы хозяйка санатория, — я узнала вас, господин Иванов.

Фамилию свекровь назвала специально для невестки. О том, кем приходится Лиза Королева Маргарите Борисовой, я узнала из разговоров персонала гостиницы. Лиза все это время стояла рядом и закатила глаза.

— Что так официально? — засмеялись из телефона.

[1] В переводе с немецкого Dreck — «грязь», «нечистоты», «дерьмо».

— Я на совещании нахожусь.

— Начальница, однако! Деньги пришли не в полном объеме. Половина только.

— Сейчас не могу обсуждать данный вопрос.

— Понял. Если до вечера не найдешь минутки поболтать с верным другом, то извини. Я не угрожаю. Реагирую адекватно ситуации. Покедова.

— Дерьмо, — неожиданно выпалила Лиза, — вот дерьмо!

Свекровь округлила глаза:

— Дорогая, что вынудило тебя столь резко высказаться?

Лиза поняла, что ей не стоило реагировать таким образом. Надо отдать ей должное, она мигом сообразила, как исправить свою оплошность. Королева показала на пятно, которое темнело на бежевом ковре.

— Прошу прощения за неаппетитную речь. Кто-то из постояльцев принес на обуви собачьи фекалии. Я вызову уборщицу, а то их разнесут. Минуточку.

Елизавета схватила листок бумаги, прикрыла пятно, которое больше походило на след от пролитого кофе.

— Давайте пройдем в номер, который для вас приготовили, как для принцессы, — предложила Маргарита.

— Куда? — удивилась я.

— Пойдем! Пойдем! — запрыгала Киса. — Он далеко?

— Совсем рядом, — сказала дама.

Мы прошли мимо ресепшен, пересекли холл, Борисова открыла дверь, и я увидела длинную галерею со стеклянными стенами.

— Здорово! — восхитилась Киса. — Вроде я на улице, а сама в тапочках.

— Красивый лес, — заметила я, — ели, как в сказке.

Маргарита открыла дверь, в которую уперся коридор. Мы очутились в большом холле, отделанном намного дороже люкса. На полу лежал не ламинат, а настоящий дубовый паркет. Вешалка, встроенное зеркало в бронзовой раме, персидский ковер, люстра — все стоило дорого, но не кричало о деньгах. Прихожую обставлял явно человек с прекрасным вкусом.

— Ну и ну, — восхитилась я, — прямо пятизвездочный теремок.

— А где комната принцессы? — спросила Киса.

Маргарита показала на дверь:

— Тебе туда, дорогая.

Кисуня дернула створку за ручку и закричала:

— О-о-о! Как в Диснейленде! Спальня Микки-Мауса! Розовая кровать! А там что? Ванная! У душа голова Микки! Обои с Русалочкой. Лампа! Давай тут останемся!

— Для вас, Евлампия, приготовлена обычная спальня, — улыбнулась Маргарита, — в другом конце коридора. Киса, ты пока осмотрись, а я покажу помещение.

Когда мы с Борисовой перешагнули порог, я, как и Киса, пришла в восторг.

— Да здесь целая стена с детективами!

— Любите криминальные романы? — улыбнулась хозяйка.

— Обожаю, — призналась я, — вижу здесь книгу Татьяны Поляковой «Время-судья», которую хотела прочитать, но никак не могла купить. Похоже, произведения этого автора пользуются такой популярностью, что издательство не успевает их допечатывать. Но у вас на сайте нет ни слова об этом номере.

— Сомневаюсь, что вы изучали раздел «Только молодоженам», — засмеялась Маргарита.

— Поскольку я давно замужем, то не поинтересовалась предложениями для новобрачных, — ответила я.

— Это помещение обставляется и декорируется по желанию жениха, который, как правило, оплачивает свадебное путешествие, — заговорила Маргарита, — не все пары имеют возможность покинуть Москву на пару недель. Сейчас много беременных девушек под венец идут.

— Беременная девушка, — усмехнулась я.

— Нелепо звучит, — согласилась Маргарита. — Женщины в интересном положении не рискуют далеко от своего врача и клиники улетать. Мы в этом случае наилучший вариант. Здесь уединенно. Никто сюда без вашего разрешения не войдет, даже горничная. Еду принесут любую. Из ванной при этой спальне выход...

Маргарита поманила меня рукой:

— Сюда.

Через пару минут я, стоя на пороге, пробормотала:

— Ну и ну! Сауна, джакузи, личный бассейн...

— Кухня с кофемашиной, холодильником, который заполняется по вашему указанию, — продолжала Борисова, — конечно, это дорого. Но номера забронированы почти на весь год. Сегодня вечером здесь хотела поселиться пара. Счастливые муж с женой намеревались прибыть к нам после ужина в ресторане. Но утром заказчик сообщил, что свадьба не состоялась, невеста его бросила. Капризная девушка, несмотря на тридцатилетний возраст, в душе девочка. Поэтому жених задумал декорировать одну комнату, как спальню Микки-Мауса. А вторую он велел оформить в стиле книг Агаты Кристи. И он, и сбежавшая невеста большие любители криминальных романов. Если вы не откажетесь...

— Лампа, давай здесь жить, — завопила Киса, вбегая в комнату.

Голову девочки украшала пластмассовая розовая корона.

Я посмотрела на Маргариту.

— Ребенок счастлив, мне тоже все по душе. Вопрос в цене.

Маргарита сделала резкий жест рукой:

— Ни на копейку больше, чем вы уже заплатили. Мы очень виноваты, сначала вам служащая нахамила, потом люкс водой залило, и вообще мы хотели вернуть деньги и поселить вас тут бесплатно. Но что-то мне подсказывает, что вы не согласитесь. Или я ошибаюсь?

— Нет, вы правы, — кивнула я. — И последний вопрос. Санаторий «Теремок» я выбрала из-за центра, где можно оставить ребенка. Но сейчас воспитателя нет, а...

— Не волнуйтесь, — остановила меня Маргарита, — вскоре примчится Юля, прекрасная женщина. Она всегда Сонечку подменяла, когда та болела. А чтобы вы не скучали, предлагаю вам с Кисой совершить прогулку на санях.

— Лошадка, — завопила девочка. — Ура!

— Розвальни ждут вас у входа, хорошо, что в нынешнем марте еще снега много, — улыбнулась хозяйка, — большой круг по лесу, заезд в контактный зоопарк...

— Там можно потрогать медведя? — обомлела от восторга Киса. — Или тигра?

Маргарита вынула из кармана мобильный.

— Извини, если я тебя разочарую, но нет. Зато там есть кролик Сережа, он любит сидеть на руках, еще коза Наташа, поросенок Шура, шпиц Оля. Со всеми можно сфотографироваться, они обожают угощение. Потом вас в избе напоят чаем с пирогами.

Киса бросилась в холл.

— Алексей, — сказала в трубку хозяйка, — сейчас повезешь Евлампию и девочку. Они мои личные гости. Понял? Молодец.

Глава 4

— Можно еще кусок кулебяки? — попросила Киса.

— Впереди ланч, — напомнила я.

— Пирог с яблоками лучше любого угощения, — улыбнулась молодая женщина. — Правда, Киса?

— Да, тетя Вероника, — согласилась девочка и схватила самый большой ломоть.

— У вас очень мило, — похвалила я, — уютная гостиная.

— Просто чай-кофе и домашняя выпечка, — отмахнулась Вероника. — Леша, кучер, мой муж. В Москве жилье дорогое, своего у нас нет, на зарплату только комнату в коммуналке можем себе позволить. И вдруг нам повезло: Елизавета Михайловна дом предложила с условием, что мы за животными будем следить, экскурсантов угощать. Мы теперь живем в хоромах и счастливы.

— В чужих, — раздался из темного угла дребезжащий голос, — и Алексей тоже не свой!

Лицо Вероники приняло несчастное выражение.

— Мама, хочешь чайку?

— Сама эту гадость пей, во рту потом вкус, будто кошки туда нассали, — донеслось в ответ.

Вероника покраснела.

— Киса, — тут же сказала я, — если вежливо попросить, Алексей тебя еще разочек покатает.

— Да, да, — обрадовалась Ника, — только оденься потеплее.

— Ура! — завопила девочка и унеслась.

— На редкость шумный ребенок, — прокряхтела, выходя из тьмы, грузная старуха. — Ника, если родишь, живо тебя выгоню, хочу жить спокойно.

— Мамочка, может, пирожка кусочек? — засуетилась Вероника.

— Что у тебя со слухом? — буркнула бабка, которая вначале показалась мне одетой в грязный мешок.

Но, присмотревшись, я поняла: мать Вероники одета в нечто дизайнерское, скорей всего очень дорогое. В ушах у сердитой бабки блестят бриллиантовые серьги, на пальцах сверкают кольца. Тяжелым шагом она приблизилась к столу и опустилась на стул.

— Мамочка, пирожка? — повторила дочь, втягивая голову в плечи.

— Идиотка, — коротко ответила маменька, — даже коза с трех раз поймет: тошнит меня, понос, умираю я. Все из-за тебя, дура.

На глаза Ники навернулись слезы, но она мужественно попыталась их скрыть.

— Кто-то в дверь стучит, пойду посмотрю. Вы тут пока отдыхайте, пирог ешьте!

— Вот кретинка, — вздохнула старуха, когда дочь вышла, — сто раз ей говорила: плохо мне. И пироги купленные! Не сама их лентяйка печет. Отравлены они. Жизнь тяжелая, вдова я. В санатории живете?

— Да, — ответила я.

— Давно приехали?

— Вчера, — уточнила я, хотя мне совсем не хотелось общаться с хамоватой особой.

— Лучше сматывайтесь от Ритки поскорее, — отрубила старуха, — знаете сколько мне лет? Поглядите и отвечайте!

Неприятная собеседница не выглядела юной, но, если далеко не молодая женщина просит определить ее возраст, придется солгать.

— Полагаю, что пятьдесят, — сказала я.

— Меньше, — скривилась бабка, — сорок пять. И кто меня сделал страшнее песен из радио? А?

Я не понимала, как на это реагировать, и продолжала сидеть с глупой улыбкой. Ну, Вероника! Оставила меня наедине с сумасшедшей теткой, убежала. И что мне теперь делать?

— Как тебя зовут? — осведомилась собеседница.

— Евлампия, сокращенно Лампа, — привычно ответила я.

— Анфиса Ивановна Буркина, — в свою очередь представилась женщина. — Дочь моя дура. Я ей велела в медвуз идти. А она! У Ритки служит. С Лизкой дружит. Я Алексея сто раз предупреждала: «Хоть ты и чужой мужик, но уж лучше такой, чем те, кого она всегда находит». Имейте в виду, я Нику к себе в квартиру не пущу. Это мои апартаменты. Потом и кровью мне достались!

— Мама, Евлампия гостья Маргариты Федоровны, — попыталась остановить старуху дочь, входя в комнату.

— Хо-хо, — произнесла Анфиса. — И что? В ее присутствии на голове стоять надо? Из-за кого я тут, а? По какой причине в дерьме живу? А вы, Евлампия, валите из санатория. Там шабаш. Пирог Никин не трогайте, он грязными руками приготовлен. Отлично знаю: в общепите месят тесто, в туалет сбегают, руки не ополоснут и снова суют их в кастрюлю. От чего у меня постоянно понос? Надоели вы мне! Евгения! Принеси молока в мою спальню. Да живо! Что за прислугу отец нанял, все косорукие, кривоногие, тупые. Эй, как там тебя зовут? Катя, Маша, Галя...

Продолжая на все лады возмущаться, злобная баба ушла.

— Простите, — прошептала Ника, — моя мама... она...

— У нее старческая деменция? — предположила я.

— Точно, — кивнула Вероника, — порой она невероятную чушь несет! Невозможную. Потом вдруг начинает разумно говорить, и снова не пойми что. У мамы несколько больных тем. Мы с Лизой познакомились в медвузе, я там некоторое время училась, потом заболела и ушла. А Елизавета в институте встретила Валентина, сына Маргариты Федоровны, они поженились. С Ритой Анфиса давно дружила. Мой отец и брат Маргариты Федоровны в со-

ветское время управляли кинотеатром. А после
перестройки они выкупили его, сделали там
клуб. Опыт у них имелся.

Вероника улыбнулась.

— Папа невероятно умный. Дядя Сеня тоже не промах. Последний сеанс в те годы в девять завершался. И конец веселью. Спокойной
ночи, малыши. Но в кинотеатре «Лесной» все
только после двадцати трех начиналось. В пол-
двенадцатого показывали фильмы. Не советские. Феллини, Бергман, Антониони, французские детективы. Не знаю, где отец все доставал.
Буфет с шампанским, бутерброды с дефицит-
ной финской салями... Публика была богатая:
директора магазинов, врачи, творческая интел-
лигенция, девочки там крутились... До пяти утра
гулянка, потом народ расползался. После перестройки папа и дядя Сеня в Америку рванули.
Отец с женой развелся. Мать со мной осталась.

— Анфиса Ивановна представилась мне вдовой, — удивилась я.

Вероника махнула рукой:

— Она после разрыва с папой стала говорить: «Мой супруг — покойник» или «Я вдова».
Очень на отца злится, что он в США прекрасно
живет, обзавелся бизнесом, семьей, у него трое
детей. Маму он конкретно видеть не желает.
Дядя Сеня за океаном тоже преуспел, но он
холостяк, сестре много помогает. Когда у него
в Америке дела в гору пошли, он Рите денег на
гостиницу дал. А у нас все под откос покати-
лось. Мы обеднели, я после болезни в медин-

ститут не вернулась, выучилась на медсестру, работала в клинике. Замуж за Алексея вышла. Жили мы вместе с мамой, у нее всегда непростой характер был. Нам с супругом плохо с ней жилось, а свои апартаменты не купить. Маргарита Федоровна знала о том, что мы мучаемся, и предложила сюда переехать, у нее работать. Вот же счастье выпало! Бесплатное жилье, нехилый оклад, свежий воздух, общение с разными людьми. Понятно, что мы за этот шанс ухватились. Господи, такая радость! А потом...

Ника махнула рукой.

— У мамы инфаркт случился, едва ее на ноги поставили. И новая напасть. Слабоумие стартовало. Да так быстро! Мать уж не молода...

— Она сказала, что ей сорок пять, — улыбнулась я, — но в это верится с трудом. Вам-то за тридцать. Анфиса Ивановна хорошо выглядит, но все же ей не столько лет, сколько она назвала.

Ника рассмеялась.

— Мать в юности слыла красавицей. За ней многие ухаживали, она привыкла в центре внимания находиться. Когда папа в США улетел, она испугалась, поняла, что стареет. И принялась молодость возвращать, начала всякие косметические процедуры делать. Надеялась, что станет юной. Связалась с каким-то мошенником, он ей чудо-уколы ставил, вытяжку из трав. Он многих надул, мама ему чемоданы валюты отнесла, весь запас на черный день спустила. Вот такая история. Теперь она живет с нами, бросить ее совесть не позволяет, а жить вместе невыносимо. Алеша терпит, молчит, а меня трясет. Домой идти не хочется. Есть заведения, где за такими, как Анфиса, прекрасно ухаживают. Но мы это не потянем финансово. С деньгами у нас плохо. Спасибо, что бесплатно здесь живем и зарплату получаем. Вот у Маргариты с Лизой все иначе сложилось, теперь они на коне. Им дядя Сеня пару миллионов дал. Не рублей. У него в Америке крутой бизнес.

— У свекрови с невесткой редко возникает близость, — поддержала я разговор.

— Елизавета очень мужа любила, — пояснила Вероника, — а Рита ей ближе матери. Вот как бывает. Родные люди друг друга терпеть не могут, а чужие вместе счастливы.

— Встречайте гостей, — крикнул из прихожей Алексей, — мы с Кисой привезли Свету с мамой. Они тоже покататься решили.

— Нам дадут чаю? — спросил за дверью незнакомый детский голосок.

— Конечно, тут пирог вкусный, — ответила Киса.

Глава 5

Через полчаса обе девочки, оказавшиеся одногодками, пошли с Алексеем смотреть на кроликов. Вероника стала собирать посуду, я решила ей помочь, мы ушли на кухню. Татьяна, мать Светланы, осталась в комнате одна, она сидела в кресле.

Я поставила тарелку из-под пирога в мойку, вернулась в гостиную, чтобы забрать чашки, и увидела, как Таня, стоя на коленях, ощупывает ковер.

— Вы что-то потеряли? — спросила я.

Татьяна вздрогнула.

— Серьга выпала!

— Вот жалость! — расстроилась я и опустилась рядом с ней на корточки. — Как она выглядит?

— Обычно, как все, — после короткой паузы сообщила Татьяна.

— Серьги у всех разные, — улыбнулась я, внимательно всматриваясь в палас. — Пусета?

— Ну... вроде того.

— С камнем?

— Да.

— Большим?

— Э... не очень...

Разговор я вела только из вежливости, понимала, если наткнусь на украшение, сразу его увижу. Но, согласитесь, неудобно в полной тишине ползать по ковру. Чтобы избежать неловкого молчания, я сказала:

— Сама недавно посеяла браслет.

— Очень жалко, — буркнула Таня.

— Расстегнулся случайно.

— А-а...

— И упал, — болтала я, — так и не нашелся.

Татьяна проигнорировала мои слова, я решила более не помогать ей, встала, сделала несколько шагов, споткнулась обо что-то под ковром, шлепнулась на четвереньки и воскликнула:

— Кольцо!

— Где? — спросила Таня.

— Не серьга, — засмеялась я.

— Где кольцо? — нервно повторила гостья.

Я постучала ладонью по ковру:

— Там. Но это не украшение. Вероятно, в полу есть люк, который ведет в подвал.

— Не может быть, — вдруг протянула Татьяна.

— Почему? — спросила я. — Дом деревенский, в них часто обустроены подполы.

— Почему вы сидите на паласе? — удивилась Вероника, материализуясь в гостиной. — Вставайте, простудитесь. По ногам у нас холодом зимой тянет, пол не подогревается. Спасибо Маргарите, большой ковер нам постелила. Она прямо ангел.

— Мы с Евлампией поспорили, — зачирикала Таня, — она утверждает, что у вас есть подпол. А я думаю: его нет!

— Изба не наша, — пустилась в объяснения Ника, — мы просто живем тут. Маргарита Федоровна просила ничего в интерьере не менять, не переставлять. Но здесь подпола нет. Точно.

— Ага! Я говорила! — торжествующе заметила Татьяна и вытянула руку: — Где конфетка, которую я в споре выиграла?

Я поддержала шутку, взяла со стола ириску и подала ей.

— Вот она. Если я проспорила, никогда не зажуливаю бакшиш. Но в полу есть кольцо.

— Верно, — согласилась Вероника, — одну половицу можно поднять, я один раз это сделала. Угадайте, что увидела? Железную коробку из-под печенья. Старую-престарую.

— Деревенский сейф, — усмехнулась Таня, — селяне смешные. Моя бабушка хранила деньги в пакете из-под молока, держала его в шкафу. Всем, кто заглядывал в гости, она сообщала: «Если я внезапно умру, деньги на похороны найдете на полке, где белье». Весь народ знал, где баба Тоня заначку держит. А у соседа деда Прохора тоже половица одна поднималась, и что там было? Жестянка из-под кофе, а в ней нычка. Вы бы убрали кольцо. Евлампия о него споткнулась.

— Маргарита Федоровна велела ничего не трогать, — терпеливо повторила Вероника, — да и ковер к полу прибили после того, как одна гостья за его край зацепилась, упала и нос разбила.

— Палас на гвоздях, — рассмеялась Таня, — забавно.

— Впервые слышу, что напольное покрытие приколачивают, — поразилась я.

Вероника развела руками:

— Это не мной придумано. Маргарита велела.

— У вас есть лупа? — поинтересовалась я.

— Где-то лежит. А зачем она вам? — спросила хозяйка избы.

— Таня одну серьгу потеряла, — сообщила я.

— Какую? — опять спросила Ника.

— Левую, — ответила гостья.

— Я имела в виду, как она выглядит, — улыбнулась Вероника.

— Ну, самая обычная, — ушла от прямого ответа Татьяна, — простенькая, золотая, колечком.

— Нашли? — спросила хозяйка.

— Нет, — вздохнула я, — наверное, отскочила куда-то. Таня, вы мне сказали, что это была пусета. Так колечко или «гвоздик»?

У Татьяны забегали глаза.

— Ну... э... сложно описать... симпатичная сережка... обычная.

Вероника стала ходить по комнате и всматриваться в пол.

— Не ищите, — сказала Таня, — фиг с ней. Не стоит такая ерунда вашего внимания. Красивый дом! Давно в нем живете?

— Не очень, — ответила Вероника, — это рабочая квартира. Маргарита Федоровна ее нам как сотрудникам предоставила. О! Вот ваша потеря! Под мебель залетела.

Я посмотрела на Нику, которая наклонилась около буфета. Она выпрямилась, на ее раскрытой ладони лежала серьга. В оправе сверкал бриллиант, вокруг него россыпь темно-синих камней, возможно — сапфиров. Изделие казалось дорогим, и его никак нельзя было назвать пусетой.

— Слава богу! — обрадовалась Ника.

— Можно взглянуть? — спросила я.

Вероника протянула мне украшение.

— Я страшно переживаю, когда у гостей что-то пропадает. Вчера у одной дамы рукавички запропастились, не дешевые, из норки. Лешик все сани перетряс, я тут обыск устроила. Ничего! До сих пор мне не по себе. Посетительница не злилась, не ругалась, спокойно ушла, сказала в дверях: «Ерундовая потеря, но неприятно».

— А уж мне как неприятно! Наверное, она решила, что я утащила у нее варежки.

— Чужое прихватить ты любишь, — сказала Анфиса Ивановна, входя в комнату, — в первом классе сперла у соседки по парте ластик и съела его!

— Было дело, — натужно рассмеялась Вероника, — ластик вкусно пах, как конфета. Мне захотелось ее попробовать.

— И как? — поинтересовалась я.

— Не впечатлило, — призналась Ника.

— Со мной точь-в-точь такое же приключение когда-то случилось, — развеселилась я. — Съеденный ластик. Ой, что потом произошло! Соседка по парте нажаловалась своей маме, та позвонила моим родителям: «Караул! Ваша девочка отравилась! Она сгрызла ластик! Грязный! Ужас! Скорей везите ее в больницу!» А у меня, как назло, архитревожная мамочка была, я в июне в валенках ходила, чтобы не простудиться. Через час в нашем доме были четыре профессора! Прописали мне касторку. В детстве все дети друг у друга всякую ерунду без спроса берут.

— И чужие бутерброды откусывают, — дополнила Таня, — у нас такой мальчик в классе был. Вытащу я печеньку, положу на парту, отвернусь... бац! Половина осталась, а Петька, жуя, удирает.

— Если кто-то в детстве чужой ластик украдет, тот потом вором точно станет! — отрезала Анфиса Ивановна. — Как моя дочь. Зачем ты, дрянь, у гостьи кольцо с пальца стянула? Сейчас полицию вызовут!

Вероника стояла молча, мне стало ее невыносимо жалко, поэтому я сказала:

— Это серьга! Никто ее не крал, сама из уха выпала. Спасибо, Ника, что нашла. Таня, забирайте!

Я протянула ей серьгу.

После небольшой паузы гостья аккуратно взяла украшение. Я ждала, что она вденет сережку в ухо, но Татьяна почему-то не торопилась, просто сжала ее в кулаке. И тут в комнату вошел Алексей.

— Назад поедете? Или еще чайку попьете? Мне надо через десять минут в санатории двух человек забрать.

— Мы домой, — решила я.

Глава 6

Киса была очень довольна прогулкой, она долго рассказывала про животных, радовалась, что Алексей разрешил покормить лошадок яблоками. Приехав в санаторий, мы пошли обедать, просидели за столом около часа, потом к нам подошла милая женщина и представилась:

— Меня зовут Юля, я временно замещаю воспитателя. Киса, хотите научиться делать фигурки зверей из фруктов? Или вам более по душе кукольный театр? Сейчас занятия начинаются, педагоги уже здесь. Можно еще рисовать, лепить из соленого теста.

У девочки загорелись глаза.

— Мне все нравится!

— Чудесно, — обрадовалась Юлия, — займетесь каждым делом по очереди. Вы разрешаете?

Последние слова адресовались мне.

— Конечно, — ответила я, — скажите, когда центр заканчивает работу?

— Работает до последнего клиента, — улыбнулась Юля, — если хотите уехать, не волнуйтесь. Кисонька будет под надежным присмотром. Полдник, ужин — все получит. У нас есть спальня. Иногда гостю необходимо ночью куда-то отправиться, ребенок остается с нянями на первом этаже.

— Надеюсь быстро управиться, мне надо посмотреть квартиру, — объяснила я, — мы меняем жилье.

— Господь вам в помощь, — пожелала Юлия, — от души сочувствую, переезд хуже потопа. Не торопитесь, запишите мой мобильный, звоните сколько хотите. Отправлю вам на ватсап видео, как Кисонька занимается. Ну, ангел мой, куда пойдем сначала?

— Из фруктов мастерить, — решила Киса. — А из каких?

— Яблоки, груши, виноград, бананы, — перечислила воспитатель.

Весело переговариваясь, Юлия и девочка удалились. Я поднялась в номер, взяла куртку, спустилась на первый этаж и очутилась в центре шумного скандала.

— Воры! — бушевала около стойки ресепшен дама в длинной дорогой шубе. — Пусть она объяснит, где моя серьга? А?

— Уважаемая Диана, — начала Маргарита Федоровна, — возможно...

Гостья с такой силой шлепнула ладонью по стойке, что на пол упала коробка с визитными карточками санатория. Вероника, которая стояла за спиной хозяйки, присела и начала собирать рассыпанные визитки.

— Знаю, какие вы песни исполните, — заорала гостья, — дескать, я сама хороша. Потеряла украшение где-то! Нет! Нет!! Нет!!! Был случай, когда я лишилась браслета, он зацепился за рукав пальто. Сбросила его, не заметила, что там ювелирка, сдала в гардероб. И все. Ищи-свищи. После того происшествия, где-либо раздеваясь, я всегда... Подчеркиваю, все-гда! Всякий раз! Трогаю уши, шею, запястья. Научена горьким опытом. Когда в мерзкой грязной избе шубку на вешалку пристроила, вошла в комнату, обе серьги висели в мочках! Обе! А вот перед уходом я не проверила наличие украшений. Вернулась в номер. И нет серьги!!!

Дама показала на Веронику пальцем:

— Она ее украла!

Потом скандалистка повернула голову и заложила за ухо прядь.

— Видите? Одна! Вторая в сарае выпала.

— Зачем вы в дровник ходили? — удивилась Лиза, которая успела подойти к ресепшен. — Вход в него из сеней избы, но туда никто из гостей не заглядывает. И заперт он. Там грабли, поленья и всякая ерунда хранится.

— Ах, простите, — начала ерничать гостья, — не так обозвала грязное жилье, где мне подали омерзительное пойло, назвав его кофе. Сруб! Пятистенка! Сортир! Ужас! Ваша воровка после моего ухода точно нашла драгоценность! И не отдала!

— Зачем ей одна сережка? — попыталась воззвать к логике дамы Елизавета.

— Ха! — выкрикнула скандалистка. — Вторая у меня не выпала. Вместе они более миллиона евро стоят. Не верите? У меня документ есть! На аукционе мне их муж купил. Исторические серьги, им несколько сотен лет. Но и одна неплохая добыча! Камни такой чистоты, какой нынче нет! Она продаст ее ювелиру! Верните драгоценность немедленно.

— Мы разберемся, — пообещала Лиза, — непременно.

Гостья поджала губы.

— Я уезжаю завтра после обеда. Если к этому времени не получу потерю назад, вас ждут ну очень большие неприятности. Мой сын известный певец, муж бизнесмен. По всем соцсетям сообщу: не подходите к санаторию «Теремок», там воруют! Нагло! Обчищают номера клиентов! Крадут их вещи!

— Ника? Что случилось? — спросила Лиза, когда дама, гневно сопя, ушла.

Вероника заплакала.

— У меня нет сил. Устала. Очень.

— Вот только этого нам не хватало, — рассердилась Маргарита и открыла дверь в стене, — а ну, живо в офис.

— Не могу идти, — прошептала Ника, — ног не чувствую. Падаю.

Я подхватила жену Алексея.

— Ей плохо. Вся бледная... Позовите врача.

Лиза схватила трубку.

— Давайте уведем ее с посторонних глаз, — предложила Маргарита.

Мы с Борисовой взяли дрожащую Нику под руки, отвели ее в небольшую комнату и уложили на диван. Я быстро рассказала Маргарите историю с серьгой, появился врач, начал мерить больной давление.

— Сережку забрала Татьяна? — уточнила Борисова.

— Да, — подтвердила я, — она сказала, что потеряла украшение. Мы стали его искать, ползали по ковру. Я встала, споткнулась о кольцо, которое торчало из пола, шлепнулась. Пришла Вероника, она подключилась к нам, обнаружила под буфетом сережку. Я взяла ее, чтобы посмотреть, потом отдала украшение Тане, а та его в кулаке зажала. Странно.

— Ну и люди встречаются! — всплеснула руками Рита. — Оценила вещь по достоинству и поживилась.

— Давление у нее поднялось, — сказал врач, — сейчас укол сделаю.

Ника заплакала:

— Я умираю!

— Нет, — успокоил ее эскулап, — вы просто понервничали. Завтра снова огурцом станете. А у вас на что-то аллергия?

— У кого? — не поняла Рита.

— У дамы в джинсах и синем свитере с оленями, — уточнил доктор.

— У меня? — удивилась я. — Не страдаю золотухой.

И в эту минуту у меня отчаянно зачесался нос, я потерла его ладонью.

— Зуд! — констатировал медик. — Покраснение. Купите в аптеке мазь. Возможно, это реакция на холод.

— Никогда не страдала ею, — возразила я.

— Все когда-то случается впервые, — философски заметил врач, — пусть Вероника полежит минут десять.

Мы оставили женщину в комнате и вышли к ресепшен.

— Что делать? — запаниковала Рита. — Диана Семеновна Молотова может много неприятностей нам доставить.

— Да уж, — согласилась Лиза, — у ее сына-певца несколько миллионов поклонников в инстаграме. Ужас! Он нас обвинит в воровстве! Антипиар устроит.

— Успокойся, — остановила невестку Маргарита, — все будет хорошо.

— Надо поехать к Татьяне, забрать у нее серьгу и вернуть разгневанной клиентке, — предложила я.

— Точно! — обрадовалась Лиза.

— Отличная идея, — похвалила Маргарита. — Ангелина!

— Я тут! — отозвался девичий голос. — Слушаю вас внимательно.

— Сегодня утром Татьяна с дочкой Светой нанимали Алексея, — сказала Маргарита, — на санях кататься. Узнай адрес гостьи, телефон. емейл. Все, что есть.

— Ничего нет, — ответила администратор.

— Почему? — изумилась хозяйка. — Они в каком номере жили?

— Они не заезжали, — уточнила портье, — подошли ко мне, мать спросила: «Нам сказали, что здесь работает контактный зоопарк и можно на санях покататься. Но мы не постояльцы». Я ответила: «Пожалуйста. Сейчас кучера вызову. В стоимость прогулки входит чай с пирогами и сладостями. Оплачивайте прогулку, и нет проблем. Если пожелаете, можете потом у нас оформить дневную путевку, без ночлега, купания в бассейне...»

— Остановись, — скомандовала начальница. — Ты им квитанцию выписывала?

— Конечно.

— Назови фамилию.

— Она ее не назвала, велела: «Напишите «Татьяна». Мне бумажка без надобности».

Маргарита поморщилась и посмотрела на Лизу.

— Найти в Москве женщину по одному только имени Татьяна невозможно. Лампа, вы с ней долго беседовали?

— Обменялись парой фраз, адрес свой она не называла, — разочаровала я Борисову.

— Тупик, — подвела итог Лиза, — Диана нас на фарш пустит. Безвыходное положение. Мы ее чертову серьгу не сможем оплатить. Сомнительно, правда, что украшение стоит столько, сколько хозяйка озвучила. Хотя... шуба-то у нее из снежного барса, а он внесен в Красную книгу. В суд баба не подаст, ума хватит понять: это дело ей не выиграть. Никто ее брюлики не крал, сама потеряла. Да и не нужен ей процесс, она «Теремок» с помощью соцсетей уничтожит через аккаунт своего сына-певца.

— Никогда не надо отчаиваться, — остановила я Королеву.

— Ну да, в особенности когда неприятности дождем льются, — фыркнула та. — Может, у вас есть идея, как найти в многомиллионном мегаполисе Таню, не зная ни ее фамилии, ни адреса?

Я вынула телефон.

— Кисуля, как ты там?

— Сделала из яблока гусеницу, — отчиталась девочка.

— Заинька, мы сегодня познакомились с тетей Таней и девочкой Светой. Помнишь?

Киса засмеялась.

— Да. Света веселая. Я ей свой адрес в инстаграме дала.

— У тебя есть аккаунт в Интернете? — ахнула я.

— Почему нет? — удивилась Кисуля. — Весь наш класс там тусуется!

Вот так случайным образом узнаешь порой интересные сведения о своем ребенке.

— Кисонька, а телефон Светы ты случайно не узнала?

— Не-а. Только адрес в инстаграме.

— Можешь спросить у девочки, где она живет?

— И так знаю, она мне рассказала после того, как услышала, что ты Романова.

— При чем тут моя фамилия? — удивилась я.

— Света сказала, что тебя странно зовут, — начала объяснять Киса, — Лампа. Я похвасталась: «Зато у нее фамилия красивая. Романова». Она ответила, что у них была соседка Романова. Раньше они в одном месте жили, а потом переехали в квартиру на Оленьей улице. Оленей там нет. Дом сорок, квартира сорок, и рядом магазин «Сорок мелочей». А фамилия их Утятины. Правда, смешно? Мы посмеялись, подружились, и теперь она в моем инстаграме сороковая подписчица. Это судьба!

— Спасибо, дорогая, — поблагодарила я и положила трубку в карман. — Девочка Света сообщила Кисе все свои данные.

Лиза молитвенно сложила руки.

— Дорогая Евлампия! Огромная просьба! Мы не возьмем с вас ни копейки за проживание, за все посещения СПА и вообще за любые услуги. Можете съездить к Татьяне и попросить ее отдать серьгу?

— В принципе да, но вы можете сами поговорить с ней, — ответила я.

— Мы не видели, как она забрала серьгу, — резонно сказала Лиза, — а вы свидетель. Пожалуйста. Все за наш счет. Далеко ехать-то?

— Оленья улица, — пояснила я, — дом сорок, квартира сорок, Татьяна Утятина. Кисе показалось смешным, что Утятины живут на Оленьей улице.

— Утятина? — воскликнула Лиза. — Утятина! Это же...

Она замолчала.

— Вы ее знаете? — удивилась я.

— Нет, — ответила вместо невестки свекровь, — впервые эту фамилию слышу.

— У меня была одноклассница, — пояснила Елизавета, — но она Утенкина. На секунду я подумала: вдруг это она? Потом сообразила: Утятина — Утенкина. Похоже, но не одно и то же.

— Мы с тобой совершили неописуемую бестактность, — разволновалась Маргарита, — не знаю, что нам в голову ударило, когда мы стали упрашивать госпожу Романову забрать серьгу. Евлампия, простите. Все из-за нашей глупости. И от нервов.

— Да, да, — кивнула Лиза, — это моя вина. Отдыхайте спокойно. Простите, пожалуйста. Маргарита тут ни при чем. Это я хамка! Дурно воспитанная особа! Решила вас щекотливым делом нагрузить.

— Мне совсем не трудно вас выручить, — возразила я, — и я очень сочувствую Нике. Конечно, вы знаете ее мать?

— Анфиса Ивановна больна, — уточнила Маргарита.

— Да у нее всегда злости через край было, — вмешалась Лиза. — За время моего знакомства с Никой я ни разу старуху улыбающейся не видела.

— Лиза, — укоризненно произнесла Маргарита, — это не наше дело.

— Молчу, — сказала невестка.

— И не зови Фису старухой, — попросила Маргарита.

— Почему? — пожала плечами Лиза. — Она египетская мумия.

— Тогда я скелет птеродактиля, — с самым серьезным видом заметила Рита, — потому что на год старше матери Ники.

Лиза ойкнула, Маргарита засмеялась, а я сказала:

— Все равно я в город собралась. Заодно на Оленью улицу зарулю. Вы правильно заметили: я видела, как Татьяна сережку взяла. Мне она не заявит: «Я ничего не брала».

Глава 7

— Как вы меня нашли? — поразилась Татьяна, открыв дверь.

— Где серьга? — прямо с порога спросила я. — Чужая, которую вы украли. Верните ее немедленно.

— Не занимаюсь воровством, — возмутилась Татьяна.

— Простите, я не так выразилась. Просто вы взяли то, что вам никогда не принадлежало, — рассердилась я. — Серьга очень дорогая. Ее хозяйка в гостинице закатила скандал, у владельцев «Теремка» огромные неприятности.

Татьяна молчала. Я прислонилась к стене.

— Возможно, у вас финансовые проблемы, эта красивая квартира взята в ипотеку, вы надеетесь продать украшение и вылезти из долгов. Предположим, ваш план удастся. Но на чужом горе счастья не построишь. Диана Семеновна, которой принадлежит сережка, очень расстроена, обещала разорить «Теремок». Хозяева его напуганы. А хуже всего придется Веронике, ее выгонят с работы, выставят в буквальном смысле слова на улицу. Им с мужем жить негде, дом служебный.

— Я не воровка, — стояла на своем Таня.

— Но серьгу взяли, — гнула я свое, — я прекрасно видела, как вы положили ее в сумочку, не вдели в ухо. Помнится, я еще удивилась, почему вы не вернули дорогую вещь на место. Вы случайно не ювелир? Похоже, вмиг по достоинству оценили находку и живо ее к рукам прибрали.

— Со мной всегда так, — грустно заметила Татьяна, — совру по-глупому, и такое из-за моей лжи замутится. Не собиралась брать украшение. У меня и дырок в мочках нет.

Таня подняла длинную прядь волос, падавшую ей на плечи.

— Видите? Бабушка не разрешила в детстве уши проколоть, а когда я выросла, уже сама расхотела.

— Вот почему вы говорили про пусеты, потом про обычные сережки, то они с камнем, то кольцами, — пробормотала я. — Не догадалась попросить вас посмотреть на оставшееся у вас в ухе украшение. А зря. Зачем глупо фантазировать?

— Вы поймали меня, когда я на ковре шарила, — чуть слышно сказала Таня. — Пришлось как-то объяснять, что я ищу. Ну и ступила я по полной программе. Зря вошла в избу, когда там другие люди находились. Но как еще туда попасть? Самый подходящий момент был. У Светы каникулы. Поехать без девочки? Одной? В гостинице удивятся, с чего это вдруг взрослая тетка на лошадках катается. А с ребенком никаких вопросов не возникло, все ясно: мать дочку балует, потом они чаю заехали попить. Я обрадовалась, когда вашу девочку в санках заметила, подумала: здорово, малышки во дворе побегают, а я поищу. Не сообразила, что в доме кто-то из родителей школьницы будет и служители вдобавок. Я дура ужасная. Когда план составляла, он мне удачным показался. И что получилось?

— Что вы искали в комнате? — спросила я.

— Вход в тюрьму, — прошептала хозяйка квартиры.

— Куда? — опешила я.

Таня заплакала, схватила шарф с полки у зеркала, закрыла им лицо и села прямо на зимние сапоги, которые стояли у стены.

Я нагнулась.

— Танюша! Перестаньте, все хорошо. Я отвезу украшение Диане Семеновне, никого шума не будет, ни одна душа не узнает, что вы брали сережку.

Татьяна высморкалась прямо в шарф.

— Не собиралась я ничего красть. Но как поступить, когда Вероника украшение нашла, а вы его мне протянули? Глупая ситуация. Признаться, что я соврала, ничего не теряла? Так меня выгонят и больше не пустят. Потому я и взяла серьгу. Ужасно себя чувствовала. Ну почему я вечно в неприятности вляпываюсь? Если иду красивая по улице, непременно споткнусь и в лужу упаду. Это только со мной бывает.

Я погладила Таню по плечу.

— Ну нет. Нас уже двое. Я тоже мастер художественного попадания в неприятности. Почему вы решили, что в доме Вероники есть вход в какой-то каземат?

Татьяна постучала себя пальцем по лбу.

— Логическое мышление.

— А-а-а-а, — протянула я.

— Никто не ищет Хухрика, — прошептала она, — все уверены, что сестра умерла. Но я не чувствую, что ее нет. Когда мне исполнилось двенадцать лет, Хухрик пропала. Ее искать пошли, но не обнаружили. Я плакала навзрыд, потом спать легла. И увидела ночью водонапорную башню, рядом яму, в ней Хухрик замерзает, босиком там сидит.

Таня вытерла лицо шарфом.

— Я разбудила маму, она отмахнулась: «Спи, завтра еще поищем». Я настаивала, говорила: «Хухрик погибнет, она без обуви, ей плохо, она простудится!» Мама рассердилась: «Прекрати чушь нести! Нашлась тут экстрасенс. Дай мне отдохнуть. В кои-то веки из города в деревню приехала, и покоя нет». Я взяла фонарь, положила в рюкзак бутылку воды, булку, плед, вылезла в окно и пошла к водокачке. Три километра по лесу. Ночью. Одна. Чуть от страха не умерла. Сто раз хотела вернуться. Но только остановлюсь, слышу голос Хухрика: «Мымрик, скорей». Мы так друг друга называем — Мымрик и Хухрик. Добрела до башни, начала кричать: «Ау! Ты где?» В ответ голос: «Здесь, здесь!» Я нашла сестричку! В яме. Не обманул меня сон. Как я ее вытаскивала, отдельная история. И когда клиент Хухрика...

Таня замолчала. Я протянула ей руку:

— Вставайте. Я пить хочу. Нальете мне чаю?

Хозяйка поднялась.

Мы пошли на кухню.

— Где Светлана? — поинтересовалась я, когда Таня усадила меня за стол.

— Пошла в гости к однокласснице, — объяснила хозяйка, — на седьмой этаж. Она не знает, что ее мама исчезла!

— Так вы не мать девочки, — заметила я, взяв чашку.

— Тетя, — объяснила Таня, — но Света на моих руках с рождения. Хухрик балерина, она постоянно находится в разъездах.

— Как ее зовут по имени? — спросила я.

— Галя, — вздохнула хозяйка, — но ей это имя никогда не нравилось. Она жива, точно жива. Я чувствую: Ларису убили, а Хухрика нет. Полиции лень ее искать, в отделении мне прямо сказали: «Женщина! Не майтесь дурью. Ваша сестра совершеннолетняя. Имеет право уехать куда и с кем хочет. Не два года ей. Может, ее клиент...»

Таня опустила голову.

— Клиент, — повторила я, — балерины рано заканчивают карьеру. Галина пошла работать в сферу обслуживания? Стала стилистом? Мастером по маникюру?

Татьяна молчала. Я открыла сумочку, вынула рабочее удостоверение и показала его собеседнице.

Та затряслась:

— Боже! Полиция! Простите, не хотела ваших коллег задеть. Обидеть.

— Все в порядке, — остановила я Утятину, — я служу в частном детективном агентстве. Им владеет мой муж. Я у него на подхвате. Объясните внятно, что случилось? Вдруг мы сможем вам помочь?

Татьяна опустила взгляд.

— Спасибо за предложение. Сама справлюсь.

— У вас это хорошо получается, — не удержалась я от иронии. — Кстати, сегодня Всемирный день бесплатного обслуживания клиентов детективных агентств. Я не ищу работу. Просто протягиваю вам руку помощи.

Татьяна приоткрыла рот:

— Правда?

— Конечно, — заверила я, — рассказывайте. Но честно. Уже понятно, что Галина не исполняла партию Одетты в «Лебедином озере», не служила в Большом театре.

Таня отвернулась к окну.

— Нет. Она... сестра моя... маленькая очень...

— На сколько лет вы ее старше? — уточнила я.

— На два, — ответила моя собеседница, — только наоборот. Хухрик родилась первой. Но по характеру она ребенок. Наивный. Верит всем.

— Давайте по порядку, — попросила я. — Что случилось?

Татьяна кивнула и начала рассказ.

Елена Утятина, заведующая аптекой, никогда не выходила замуж. Но отсутствие штампа в паспорте не помешало ей родить Галю, а через два года и Таню. Красивая яркая Елена пользовалась успехом у мужчин, жила в крохотной однокомнатной квартирке и, став матерью, не собиралась менять свой образ жизни. Галю она в два месяца отвезла в деревню к своей матери, Ксении Владимировне, и забыла про ребенка. А потом в село Коровинки отправилась и Таня.

Баба Ксюша безропотно, как умела, воспитывала девочек. Кормила их, поила, одевала, обувала. Несмотря на тяжелый крестьянский труд, а может, благодаря ему, пенсионерка сохранила стройную фигуру и выглядела намного моложе паспортного возраста. Скучать ей было некогда: две коровы, коза, куры, поросята, индейки, огород... Только успевай крутиться. Внучки с малолетства помогали бабе Ксюше. К восьми годам они не чурались никакой работы. Собирали колорадских жуков с ботвы картошки, доили коров, кормили поросят, умели управлять лошадью, ловко возили от колодца полную сорокалитровую баклажку воды, стирали белье, гладили... Вот в школе сестрички не считались хорошистками, в дневниках у обеих стояли сплошные тройки. Отставали малышки не по глупости или лени, у них элементарно не хватало времени на приготовление домашних заданий. Только сядут за уроки, баба Ксюша кричит:

— Эй, бездельницы, хорошо устроились? Мягко вам на стульях? Ну-ка займитесь делом. Половики потрясите, картошку в погребе переберите.

Когда Гале исполнилось пятнадцать, Ксения Владимировна вышла замуж за вдовца, который несколько лет подряд снимал у нее на лето полдома. Павел Васильевич, полковник в отставке, оказался рукастым мужиком, с деньгами, по-крестьянски прижимистым. Он сказал жене:

— Или я, или девки. Кормить их не собираюсь.

Бабушка запихнула нехитрые вещи внучек в рюкзаки и отправила их к матери.

В Москве у сестричек началась другая жизнь. Кошмарная. Одноклассники во весь голос смеялись над, как они говорили, «колхозницами». Галя и Таня были хуже всех одеты, учились отвратительно. В сельской школе они получали тройки, а в столичной стали «колышницами», учителя считали, что у девочек нет знаний даже на двойку. Жили они на кухне, в комнате с очередным любовником располагалась мать. Вокруг было множество соблазнов: кино, мороженое, клубы, хотелось красивых платьев, косметику и сумочку!

Однажды поздней весной Галя и Таня сидели на скамейке на детской площадке. Мать завела нового любовника, поэтому велела раньше полуночи домой не приходить. Было тепло, и очень хотелось есть. Обед, который сестры слопали в школьной столовой, был в полдень, а сейчас часы показывали десять вечера.

— Пошли на проспект, — предложила Хухрик, — может, нам кто-нибудь шаурму купит.

— Как же, — пригорюнилась Таня, — держи карман шире.

Но Галя всегда считала, что все вокруг хорошие, добрые, она потащила Мымрика к палатке. Девочки довольно долго топтались у вагончика, но никто из посетителей не спросил у них: «Вы случайно не голодны?»

В конце концов из окна высунулся продавец:

— Эй, хотите пожрать?

— Да, — в один голос ответили голодные Хухрик и Мымрик.

— А бабла нет. Станцуете передо мной и получите шаурму, — заржал мужик, — топлес.

Глава 8

Таня чуть не заплакала от обиды. А Галя заулыбалась, вмиг стянула футболку и начала вы-
делывать всякие па, распевая во все горло песню, которую постоянно повторяли по радио.

Вмиг собралась толпа, мужики улюлюкали,
хлопали в ладоши, потом на тротуар начали ки-
дать деньги.

— Народ, покупай шаурму! — завопил торговец, когда Галя устала.

Зрители потянулись к вагончику. Девочки
быстро собрали монетки и купюры, хотели убе-
жать, но из вагончика вышел продавец.

— Держите, — сказал он, подавая сестрам по
пакету. — Все свежее, как для своих сделал. Хотите заработать?

— Конечно! — хором ответили подростки.

— Приходите к семи вечера каждый день, —
предложил торговец, — будете плясать. Деньги,
которые мужики бросят, делим пополам. Плюс
бесплатная жрачка вам. Основная задача —
подманить ко мне покупателей.

— Согласны, — улыбнулась Хухрик.

— Супер! — обрадовался мужик. — Я Вася.
Приставать к вам не буду. Не трогаю малоле-
ток. Если кто полезет, отгоню.

Хухрик стала исполнять стриптиз. Галя подошла к делу ответственно, купила диск с эро-
тическими танцами у шеста, скопировала движения. Правда, палки, чтобы вокруг крутиться,
у нее сначала не было. Но потом Вася вкопал

сбоку вагончика трубу, и дело пошло веселее. В конце мая девочки забросили школу, они целиком отдались своему бизнесу. Раздевалась и выплясывала Хухрик, стеснительная Мымрик оказалась совершенно не способной к такому занятию. Зато она бойко зазывала народ за шаурмой, собирала деньги, устраивала конкурсы, показывала фокусы. Лето, сентябрь и даже октябрь пролетели незаметно. В ноябре похолодало. Хухрик держалась самоотверженно, синея на глазах. Но потом настал день, когда она не смогла раздеться, ее трясло на морозе.

Девочки невероятно расстроились.

— Не хнычьте, — велел Вася, — я арендовал помещение. Кафе у меня теперь.

Через год в маленький трактир заглянул какой-то мужчина, полюбовался на Хухрика и предложил ей работу стриптизерши в своем клубе, Мымрика он пригласил официанткой.

Спустя несколько лет девушек было не узнать. В них не осталось и следа от провинциалок. Они сняли квартиру, уехали от матери, которая бурно обрадовалась избавлению от дочек. Таня перестала бегать с подносом, стала управляющей кафе, потом ресторана. Хухрик более не вертелась у шеста. Она ушла в агентство, которое оказывало эскортные услуги, быстро выбилась там в звезды. У нее образовался круг очень богатых клиентов, с некоторыми из них она оставалась на ночь. Галя сняла себе отдельную роскошно обставленную квартиру, в том же доме на другом этаже поселилась Таня.

Спустя некоторое время Хухрик сообщила сестре о беременности, объяснила, что ждет девочку от любимого человека, который является ее клиентом. Он состоит в браке, но детей у них нет. Как только Галя родит, любовник разведется и женится на ней. Имени кавалера Хухрик не назвала. Несмотря на свою профессию, Галочка оставалась очень наивной, открытой, считала всех людей честными. Ее многократно обманывали, но она не уставала повторять: «Человек-то хороший, просто он поступил неправильно. Ну ничего, подумает и поймет: так больше не стоит делать».

Таня не спорила с сестрой, знала — это бесполезно. Галя такая, какая есть. Разозлить Хухрика, научить ее давать сдачи обидчикам, огрызаться, отстаивать свои интересы невозможно. Галю надо оберегать и самой вести финансовые дела, потому что Хухрик дает в долг каждому, кто попросит. Сами понимаете, никто взятое не возвращал.

Галя стала приносить заработанное сестре, девушки вместе ждали девочку, придумали ей имя Светлана, потому что она станет их светом в окошке. Сестры росли без матери, а когда наконец оказались рядом с ней, вмиг поняли: они ей не нужны. И зачем она родила дочек? Да еще двух? Давным-давно Хухрик и Мымрик поклялись: если у них когда-нибудь появятся детки, они получат безмерную любовь, внимание, заботу и все-все самое наилучшее, что можно купить за деньги.

Когда Галочка произвела на свет младенца, ее любимый исчез. Хухрик стоически перенесла удар судьбы. Она переселилась к Тане, два года занималась только Светой, потом опять ушла в эскортные услуги, вернула себе прежних клиентов. Светочке наняли няню. Таня поднялась по карьерной лестнице, стала управляющей крупным отелем международной сети. Соответственно, вырос оклад. Младшая сестра купила в ипотеку большую пятикомнатную квартиру, сделала ремонт, заказала мебель в Италии. Сестры жили вместе, у каждой было по спальне, Светочка вольготно расположилась в детской, еще были общая гостиная, столовая, кухня, гардеробная, санузлы, постирочная, выход на крышу. О большем две некогда нищие малышки и мечтать не могли. И у них была Светочка, солнышко, радость, зацелованная девочка.

Хухрик перешагнула тридцатилетний рубеж. Обычно в этом возрасте девушки уходят из эскорт-услуг, так как они перестают интересовать клиентов. Но Галя неожиданно стала пользоваться еще большим успехом, ее нанимали самые солидные бизнесмены, для работы она снимала апартаменты. И никогда, придя домой, не рассказывала, чем занималась на службе. Таня понятия не имела, с кем и куда ходит сестра, кто спит с ней в одной кровати. Светочке они объяснили: мама балерина, работает с разными певцами на подтанцовке, часто летает на гастроли, поэтому может не появляться дома несколько дней. Хухрику на самом деле приходилось посещать разные города, клиенты часто звали ее за границу. О том, где побывала Галя, Таня узнавала по подаркам. Хухрик всегда привозила из Европы вкусный сыр, из Америки — технику, одежду.

Незадолго до своего исчезновения Галя неожиданно сказала сестре:

— У меня новый клиент по имени Наказид.

Таня рассмеялась.

— Да уж! Кто он по национальности?

Галя пожала плечами:

— Не знаю. По внешности не определишь, он больше похож на славянина. Не кавказец, не еврей, не мусульманин. Волосы темно-русые, а борода темная, глаза то серые, то голубые. Странный.

— Почему? — полюбопытствовала Таня.

Хухрик нахмурилась:

— Он еще нанял Ларису.

— Двух сразу в сопровождение? — удивилась сестра.

— Да, такое случается, — пояснила Галя, — подчас бизнесмены хотят кому-то приятное сделать или выведать какую-то информацию. Мужчина берет пару девушек, одну представляет как свою спутницу, про вторую говорит:

— Знакомься, Лариса, подруга моей Гали.

Лариса начинает кокетничать, ну оно и понятно. Я не соглашаюсь шпионить, а Лара с радостью, потому что за такую работу полагается двойная оплата. Не подумай дурное, Лариска хорошая, просто ей очень деньги нужны. Мы с Гурковой не согласились сразу ехать на его квартиру, предложили сначала в кафе посидеть. Встретились в маленьком заведении, народу там никого, только мы трое. Наказид стал вопросы задавать, сначала обычные: как мы в эскорт попали, есть ли у нас образование. Попадаются клиенты, которым хочется потрепаться, вот он из таких. Но потом он вдруг поинтересовался:

— Закон нарушали? Воровали? Лгали? Рассказывайте. От вашей честности оплата зависит. Чем больше о себе правды сообщите, тем выше гонорар.

Ларка ему живо что-то напридумывала, а я не люблю врать, честно ответила:

— Никого жизни не лишала, чужого не брала.

Он не поверил:

— Прямо святая!

Я возразила:

— Нет, конечно. Но того, о чем вы спрашиваете, я не совершала. И поступать так не стану.

Наказид сказал:

— Ты просто не готова к разговору. Я подожду.

— Он псих, — сделала вывод Таня. — Лучше с ним дел не иметь.

— Я уже отказалась, — кивнула Хухрик, — а Лариска нет.

— Она большая девочка, — заметила сестра, — способна сама разобраться.

— Верно, — согласилась Галя, — но мне тревожно. Лара собирает деньги на квартиру, хочет побыстрей ее купить.

— Это ее проблема, — подчеркнула Таня, — главное, ты с психом не связывайся.

Хухрик улыбнулась.

— Наказид не шизофреник, просто странный. Вообще-то агентство клиентов тщательно проверяет, с психом работать не станут. А Наказида Ларке ее хороший знакомый порекомендовал.

Через несколько недель Хухрик не пришла ночевать, прислала сообщение: «Уезжаю. Вернусь в пятницу. Не волнуйся. Там связи нет. Телефон не работает. Когда окажусь в зоне доступа, сразу звякну».

Когда в последний рабочий день недели сестра не появилась, Таня не забеспокоилась. Ну, задержалась, бывает. В воскресенье ее охватила тревога, в понедельник она помчалась в агентство, но там сделали удивленные глаза, сказали:

— Галина заболела. Она нам позвонила, предупредила, что до субботы будет лечиться от простуды. В воскресенье вечером может взять заказ. Мы ее никуда не отправляли.

Вот тут Таня испугалась по-настоящему. У нее были ключи от служебной квартиры сестры, она там бывала крайне редко и всегда вместе с Галей. Но сейчас она одна помчалась по адресу и нашла в апартаментах полный порядок. Все лежало, стояло, висело на своих местах. В ванной не хватало кое-какой косметики, в гардеробной не было дорожного чемоданчика на колесах. В секретере лежал загранпаспорт.

Таня сначала решила, что Хухрик не улетала за границу. Но потом заметила еще и вторую бордовую книжечку с гербом, и ей стало ясно: сестра никуда не уезжала. В самолет без паспорта и в России не пустят. Значит, Галя в столице или в области.

Таня сделала глоток из чашки.

— Я же правильно рассуждаю?

— Не совсем. Если кто-то оплатил частный рейс, то при вылете у его спутницы могут не проверить удостоверение личности, — сказала я.

— Но ведь самолет где-то сядет, а там есть пограничники, — заспорила Таня.

— Если приземлиться в России, то никакого контроля нет, — объяснила я. — И есть много стран, где боятся потерять очень богатых туристов, которые пользуются услугами частных перевозчиков. Рассуждают так: олигарх привез свою любовницу, не желает ее светить, опасается скандала. Закроем глаза и пропустим, мужчина оставит в нашем государстве большие деньги в магазинах, отеле, ресторанах, с таким не стоит вступать в конфликт.

— Нет! — воскликнула Таня. — Я знаю точно! Хухрик здесь! Под Москвой! Ее Лариска Гуркова подбила! Вот дрянь! Хоть о покойных плохо не говорят, она страшной смертью умерла. Но я очень на нее зла.

— Почему вы решили, что Лариса погибла? — остановила я собеседницу.

Глава 9

Таня встала и направилась к чайнику.

— Я с ее матерью говорила, она ко мне примчалась. Гуркова с ней многим делилась. Анна Семеновна подробно передала беседу с дочкой. Та рассказала, что у нее новый клиент Наказид. Странный слегка, просит о ее плохих поступках рассказывать. Вообще-то он двоих нанимал, но Галя отказалась от работы. Теперь Наказид предлагает Ларе съездить в замечательное место, где ей очень понравится, послушать музыку. Деньги платит большие, если она согласится, то сразу можно квартиру покупать, вносить первый платеж. Но у Лары почему-то на душе было тревожно.

Анна Семеновна спросила дочь:

— У Наказида есть борода?

— Да, — удивилась Лара, — густая, но аккуратная, не лопатой.

— Он одет в черное?

— В темное, — кивнула Лариса, — вещи дорогие, обувь, часы — все не дешевое.

— Он священник, — безапелляционно заявила Анна, — бывший. За какую-то провинность сана лишен. Вот и пристал к вам с вопросами о грехах.

Лара молча слушала мать, она сама в церковь не ходила, а Анна Семеновна мыла полы в храме и много разного о церковной жизни знала.

— Батюшки бывают разные, — говорила тем временем мама, — одни истинно верующие, а другие в семинарию пошли, потому что им нравится, когда люди проповедям внимают, руку им целуют, они тогда себя Христом считают. Первые тихие, добрые, терпеливые, им все рассказать можно, ругать не станут, пожалеют, объяснят, что не так делаешь. А вторые... Скажешь первому: «Выпила в пост кружку молока», он вздохнет и ответит: «Уж удержитесь от молочного, укрепи вас Господь. Но лучше кружку молока в пост выпей, только кровь ближнего не пей». А второй договорить не даст, начнет отчитывать, ругать, если заплачешь, обрадуется. Не надо к таким ходить. Иногда они совсем палку перегибают, тогда прихожане жалуются благочинному[1]. Я уверена, что странный клиент из таких батюшек. Его лишили возможности людей унижать, а ему хочется. Вот и выкаблучивается с вами. Езжай с ним спокойно, он плохого не сделает, только морально потреплет. Да заплатит хорошо. А тебе квартира нужна. Прихвати Галю, вдвоем безопаснее.

— Она не согласится, — расстроилась Лариса.

— Уговори ее, — посоветовала мать.

Судя по тому, что Хухрик уехала не пойми куда в тот же день, что и Лара, последняя сумела найти правильные слова, чтобы подруга отправилась с ней. И вот теперь Анна Семеновна примчалась к Тане с вопросом:

---

[1] Б л а г о ч и н н ы й — помощник епископа в части надзора за порядком в определенном церковном округе.

— Вам Галочка не сообщила точный адрес места, куда она направилась? Давно моя доченька отсутствует, не звонит.

— Нет! — зло ответила Мымрик. — Галя дала честное слово, что не станет иметь дела с Наказидом. А вы Ларисе велели мою сестру с собой взять, подвергли ее опасности. Убирайтесь!

Гуркова ушла, Таня побежала в полицию, но у нее не приняли заявление, объяснили: взрослая женщина имеет право распоряжаться собой как пожелает. Таня попыталась объяснить, что сестра обожает дочь, никогда ее надолго не оставит, но никакие аргументы на следователя не подействовали.

Прошла неделя, Тане позвонила Анна Семеновна и закричала:

— Только не бросай трубку. Ларису нашли.

— Отлично, — процедила сквозь зубы Татьяна, — рада за вас. Она может подойти к телефону?

— Нет, — прошептала Анна, — моя доченька убита.

Трубка чуть не выпала из руки Тани.

— Как?

— Кошмарно, — зарыдала бедная мать, — ее долго мучили.

— Галя! — обомлела Таня. — С ней что?

— Не знаю, — впала в истерику Гуркова, — у мертвой не спросишь. Покойники молчат.

— Покойники молчат, — в ужасе повторила Таня, понеслась в полицию и снова натолкнулась на полнейшее равнодушие.

В кабинете с табличкой «И. К. Волков» Утятину принял парень в мятом свитере и джинсах. Он выслушал ее и заявил:

— Девушка, я ничего об убийстве Ларисы Гурковой не знаю. Выясните, какое отделение работает по этому делу, и езжайте туда. Если ваша сестра убежала из дома, значит, имела на то причины. Мы не можем каждого взрослого, кто с родней поскандалил, искать.

Таня поняла, что с этим человеком беседовать бесполезно, узнала у Анны Семеновны нужную информацию, полетела в Московскую область в городок Полыново. Там Мымрик нашла толстого дядьку с красным носом и опухшими глазами, он назвался Сергеем Ивановичем Копыловым.

— Еще одна на мою голову, — поморщился он. — Гуркова шлюха. Профессия рисковая. Знаете сколько проституток на трассах погибают? Девку выкинули из машины около Полынова, а мне с этим разбираться.

— Лариса и Галя не торговали своим телом, — возмутилась Таня, — они сопровождали очень богатых людей, а романы заводили только с теми, кто им нравился.

— Ой, расскажите цветы золотые, — махнул рукой дядька, — передо мной выкобениваться нечего. Навидался-наслышался. Всяк посвоему бабло рубит. Не осуждаю твою сестру. Шлюхи тоже нужны. Но они одноразовый товар, часто погибают.

— Найдите Галю, — потребовала Таня.

— Слушай, так не делается, — вздохнул Копылов, — ступай домой, вернется твоя сестра.

— Знаю, с кем уехала Лариса, — заехала с другого конца Таня, — ее в гости позвали.

— Говори, — велел хозяин кабинета.

— Наказид, — выпалила Таня.

— Узбек, что ли? Имя такое?

— Наказид, — повторила Мымрик.

— Фамилия? Где он живет?

— Не знаю, — растерялась Утятина.

— Кем работает?

— Понятия не имею.

Сергей Иванович горестно вздохнул, схватил мышку и спустя время заявил:

— Нет в Москве мужика Наказида. По факту, может, он и есть. Но по регистрации такой отсутствует. Или он нелегал, или наврал с данными, или приезжий. Во всех случаях его не найти. Все. Конец истории. Если в шлюхи подалась, будь готова, что на дороге жизнь окончишь!

Татьяна не сдалась, она обратилась в детективное агентство. В одном сослались на загруженность, отказались искать Галю. В другом Татьяна увидела парня со слишком честным взором, он потребовал стопроцентную предоплату, обещал успех, гарантировал, что найдет Галю, но его работа очень дорого стоит и займет долгое время. Первым он задал вопрос: «Хватит ли у вас денег на все? А то я начну, а на середине поиск бросить придется».

— Материалы порциями не выдаю, — гундел «Шерлок Холмс», — весь пакет получите только после благополучного завершения поисков, вместе с Галей вам отчет вручу.

Несмотря на то что хитрый парень оказался единственным, кто брался искать старшую сестру, Танюша поняла: сыщик врун. И отказалась от его услуг.

— Почему вы поехали в санаторий? — спросила я.

— Начала опять искать кого-нибудь, способного найти Галю, и вдруг получила сообщение, — пояснила Таня, садясь за стол и взяв трубку. — «ПерИвидите двадцать тысяч на крИдитку «ОМОбанка». Расскажу, где Хухря».

— Можно посмотреть? — попросила я.

Татьяна протянула мне айфон. Я быстро переслала себе эсэмэс.

— Вы отправили деньги?

— Да, — кивнула Таня.

— Странное эсэмэс, — заметила я, — похоже на мошенничество.

Татьяна встала и опять пошла к чайнику.

— На первый взгляд да. А на второй... Об исчезновении Гали, никто, кроме матери Ларисы, не знал. Задушевных подруг у меня нет, о том, что у нас в семье происходит, я никому не сообщаю. Светочке я сказала: мама в длительной командировке, вернется с подарками. У себя на работе ни с кем близкие отношения не поддерживаю. Я второй человек после владельца отеля, со мной все хотят на короткой ноге быть, но дружба с подчиненным всегда плохо заканчивается, поэтому я держу дистанцию. Теоретически можно представить, что некий субъект случайно услышал об исчезновении Гали и решил погреть руки. Но сумма-то смешная. Двадцать тысяч! И слово «Хухря». Прозвище сестры Хухрик. Но об этом имени никто, кроме нас, а теперь вот и вас, не знает. Хухря похоже на Хухрик. Я отправила деньги. Прилетело послание: «Московская область. СОнОторий Теремок. ЗоАпарк. Изба. КОтакомбы. Хухря там».

— Вижу, вы пытались получить от человека еще какие-то сведения, писали: «Кто вы?», «Как вас зовут?», «Откуда знаете про мою сестру?» Но ответа не последовало, — заметила я.

— Я еще звонила, — объяснила Таня, — но этот номер не обслуживается.

— Карточку проверяли? На кого она открыта?

— Нет, — вздохнула собеседница. — Как мне это сделать? Банк сведения о клиентах тщательно хранит. Нашла в поисковике санаторий «Теремок», узнала, что там есть зверинец, посетителей катают на лошадках, во время прогулки предлагают выпить в русской избе чай из самовара. Взяла Светочку и поехала. На самом деле все было без обмана, как на сайте у них обещано, и здравница есть, и животные, и дом. Я купила прогулку на санях. По дороге с кучером поболтала, он объяснил, что в избушке два этажа, на первом всего одно жилое помещение, там гостей встречают, еще кухня и туалет. Выше он сам с женой и ее матерью в двух комнатах располагаются. Вход в катакомбы на первом этаже точно.

— Поэтому вы пол ощупывали, — сказала я.

Таня шмыгнула носом.

— Да!

Мне стало до слез жаль ее.

— Танюша, если, как утверждает автор анонимки, Галю спрятали в каких-то катакомбах, а вход в них находится в избе смотрителя зоопарка, то это весьма странно.

— Почему? — всхлипнула моя собеседница.

Глава 10

Я отпила остывший чай.

— У Алексея и Вероники постоянно вертятся люди, в обязанность пары входит угощать гостей чаем. Неразумно держать под полом комнаты, где вечно крутятся посторонние, пленницу. Вдруг она начнет буянить, кричать?

— Бедную Галочку связали, рот ей заткнули, — прошептала Таня, — она не может шевелиться, говорить.

— И как тогда она сообщила анониму свое место пребывания? — вздохнула я. — Записка странная. Мне кажется, ее написал подросток лет двенадцати-четырнадцати. Он воспитывается либо в очень строгой, либо в малоимущей семье.

— Почему вы так решили? — удивилась Таня.

— Сумма двадцать тысяч рублей подростку, которому не дают наличных, кажется очень большой, — пояснила я, — но для взрослого вымогателя она смешная. Те всегда требуют миллионы. Кроме того, в тексте много орфографических ошибок.

— Сейчас полно безграмотных, — возразила Таня, — или человек специально «соноторий», «котакомбы» написал, чтобы я про подростка подумала.

— Вы правы, возможно, это хитрость, — согласилась я, — но сумма... Мальчишка мечтает о какой-то вещи, она стоит двадцатку. Как-то так. И там указан номер карты. Минуточку.

Я вынула телефон, написала сообщение и набрала номер Филиппа, нашего нового начальника отдела компьютерного поиска, которого Макс воспитал в своем коллективе. Фил пару лет назад пришел в агентство простым сотрудником и быстро сделал карьеру.

— Привет, — весело сказал парень, — супер, что звякнула. Ваня! Это Романова, с тебя ланч. Заказываю двойную порцию эскалопа.

— Любой женщине крайне приятно знать, что, услышав ее нежный голосок из трубки, мужчина вспоминает про свинину, — сказала я. — Простая такая причинно-следственная связь: раз Лампа на проводе, значит, пора лопать жирное мясо. Интересно, почему возникла такая ассоциация? Я что, похожа на хряка?

— Вечно бабы любые слова с ног на голову переворачивают, — загудел Филипп. — Мы с Ванькой поспорили, сколько времени ты, Лампудель, проведешь в санатории, не вляпавшись в какую-нибудь историю. Гаврилов говорил, что неделю, а я уверял: не более трех дней. И выиграл обед.

— Может, проиграл? — возразила я. — Вдруг я хочу спросить... э... э...

— Что? — засмеялся Филипп. — Не старайся соврать. Вещай правду!

— Я отправила тебе на ватсап номер кредитки. Нужно выяснить имя владельца и его адрес.

— Как не фиг делать, — заверил наш главный спец по гаджетам. — Слушай, читаю твое сообщение, там еще просьба выяснить все про Ларису Гуркову, порыться в биографии Галины Утятиной.

— Да. Потом перезвоню.

— Понял, не дурак, рядом с тобой люди, — сообразил Филя, — кредитка... кредитка... могу прямо сейчас о ней сказать. Пластик выдан на имя Полковниковой Антонины Семеновны сорока трех лет. Живет в городке Полыново Московской области, работает учительницей в местной школе. Адрес и телефон отправлю.

— Спасибо, — обрадовалась я. — А где Полыново находится?

— Неподалеку от санатория, в котором ты сейчас кайфуешь, — уточнил Филипп, — по шоссе до населенного пункта пятнадцать километров. Дорога делает большой крюк, потому что там заповедник, его нельзя вырубать, асфальт укладывали в обход. А если идти пехом из Полынова до «Теремка» или на велике, то всего два километра, поедешь тропинкой по прямой.

— Ты по карте смотришь? — обрадовалась я.

— А что? — полюбопытствовал парень.

— На небольшом расстоянии от городка есть катакомбы?

Филипп хмыкнул:

— Не отмечено. Там лес. Погоди... Есть зоопарк, контактный.

— Глянь, пожалуйста, у Полковниковой есть дети?

— Секунду. Да. Первый сын Константин в возрасте шестнадцати лет умер от передозировки наркотиков. Через год после смерти мальчика женщина родила второго ребенка, Антона. Ему сейчас тринадцать. С первым мужем она давно в разводе, от кого Антон, не известно. Отцом у него записан дедушка Семен Антонович Полковников.

Я засунула телефон в карман.

— Танечка, завтра попробую раздобыть кое-какую информацию и расскажу вам, что узнала. Не катайтесь больше в избу. Хорошо?

Утятина кивнула.

— Спасибо. Вы из-за меня не посмотрели новую квартиру.

— Ерунда, — отмахнулась я, — в другой раз посмотрю.

* * *

Когда мы с Кисой сели ужинать, к нашему столику подошла симпатичная девушка и спросила:

— Вы Евлампия Андреевна?

— Да, — подтвердила я.

— У Кисы уникальный талант балерины, — заявила незнакомка.

Я отложила вилку.

— Девочка весьма сообразительна, хорошо читает, пишет, считает, но предрасположенности к хореографии я до сих пор у нее не замечала.

— Вы не профессионал, — улыбнулась незнакомка и взялась за спинку свободного стула.

Я вспомнила о воспитании:

— Садитесь, пожалуйста. Как вас зовут? Хотите кекса?

— Алена Сергеева, веду танцевальные занятия, — представилась девушка, устраиваясь напротив меня, — простите, после пяти я не ем. Поверьте, ваша девочка гениальна! Я набираю группу одаренных детей, Киса в нее включена. Вот моя визитка.

Я взяла карточку. «Алена Сергеева, композитор, хореограф, лауреат конкурса «Наши таланты», владелец студии «Танцуют все».

— Наша репетиционная база находится в Москве, — оживленно говорила Алена, — в «Теремок» я приезжаю несколько раз в неделю. Пока вы отдыхаете, можно тут заниматься. Потом милости прошу в студию. Мои дети регулярно участвуют в разных телепрограммах, работают со звездами шоу-бизнеса.

— Простите, у семьи в отношении Кисы другие планы, — возразила я.

— Дети хорошо зарабатывают, — не утихала Сергеева, — все ребята из прекрасных семей.

Занятия платные, но они быстро окупаются. Видели рекламу? Танцующие игрушки?

— Редко смотрю телевизор, — смутилась я.

— Синяя собачка, розовая кукла? — спросила Киса.

— Верно, — обрадовалась Алена, — сейчас будем снимать второй ролик, а девочка, которая играла пуделя, уехала с родителями за границу жить. Ты идеально подойдешь на эту роль.

Киса выронила вилку.

— Меня покажут по телику?

— Конечно, — заверила Алена.

— Во весь рост?

— Обязательно.

— Прямо мое лицо?

— Не чужое же, — засмеялась Сергеева.

Киса схватила меня за плечо:

— Лампа! Пожалуйста! Мне очень хочется!

На мой взгляд, хореограф поступила некрасиво, пообещала малышке минуты славы, не спросила у родителей, как они отнесутся к появлению ребенка на публике. Наверное, на моем лице отразились какие-то не те эмоции, потому что Киса опустила голову.

— Не стану собачкой.

— Конечно, ты получишь роль, — заверила ее Алена, — непременно. Мама очень рада моему предложению. Да?

Я хотела резко сказать «нет», но увидела, что в тарелку, над которой наклонилась Киса, капнула слеза, и выдохнула:

— Хорошо. Когда ей надо приступать к занятиям?

— Завтра утром, но нужно купить все необходимое, — предупредила Алена.

Я глянула на часы.

— Что именно?

Хореограф положила на стол лист бумаги.

— Балетный купальник, юбку, лосины, тапочки, колготки... Там немного.

— Боюсь, сегодня мы не успеем, — ответила я, — уже семь часов вечера.

Сергеева протянула мне новую визитку.

— В Полынове круглосуточно работает торговый центр «Фиалка». Второй этаж. Филаретова Зинаида Викторовна, она там будет до полуночи. Прекрасный бутик товаров для хореографии, в него многие из Москвы приезжают. Там найдется все и даже больше.

Киса вскочила:

— Лампа, помчались скорей.

— Подожди, мы еще не доели, — возразила я.

— Мы опоздаем, — заканючила девочка, — ты долго жуешь! А все потому, что спереди поставила красивые импланты, а сзади у тебя дырки.

Алена хихикнула.

— Кто тебе сказал, что у меня нет зубов? — обомлела я.

— Юлия, воспитатель, — охотно объяснила девочка, — когда мы в центр шли, она проворчала: «Твоя мама должна была как следует укусить Валентину Марковну. А она совсем беззубая, даже по известному адресу ее не послала». Но у тебя впереди красивые такие коронки. Вот я и подумала: значит, задних зубов у Лампуши нет.

— Логичное рассуждение, — согласилась я, — но ошибочное. Все у меня на месте.

Глава 11

— Очень, очень, очень рада, — засуетилась полная блондинка, увидев, что в дверь входят покупательницы, — прекрасно! Очаровательно! Кто из вас балерина?

— Я! — гордо ответила Киса.

Дама картинно схватилась за голову.

— И почему я спросила? За версту видно, что эта красавица танцовщица. Чем могу служить? Кофе, чай?

— Спасибо, лучше сразу перейдем к покупкам, — попросила я.

— Конечно, — кивнула Зинаида Викторовна, нагнулась под прилавок, вскоре выпрямилась и протянула Кисе здоровенную шоколадку. — Сюрприииз! Конфета «Прыг-скок». Очень вкусная. Ешь скорей.

Киса взяла угощение и начала его разворачивать. Я живо отняла у нее подарок.

— Не отравлено, — надулась продавщица.

Я решила пропустить ее замечание мимо ушей.

— Меня угостили, а ты забрала, — возмутилась Киса.

— Балерины держат диету. Давай купим все необходимое, — предложила я. — Покажите нам купальник для танцев.

— Очевидно, вы имели в виду форму для репетиций, — процедила сквозь зубы Зинаида и выложила на прилавок несколько изделий.

Я потрогала черную ткань.

— Где примерочная?

— Справа, — буркнула Филаретова, вытащила из-под прилавка новую шоколадку, развернула ее и откусила почти половину.

— Справишься сама? — спросила я.

— Не маленькая! — гордо воскликнула Киса и убежала, я села на стул и стала ждать появления малышки.

Взгляд упал на красивую белую футболку, на ней синела надпись «Котоломбо». Меня охватило любопытство.

— Что означает это слово? Впервые его вижу.

— Ничего, кроме того, что некоторые люди идиоты, — фыркнула Зинаида. — Летом в «Теремке» народ катали на резиновых лодках. Они назывались «Коломбо», хозяйка придумала развлечение, викторину-детектив, в процессе прогулки надо было всякие загадки детективные решать. Квест. Сейчас они в большой моде. Плавсредства владелица окрестила в честь своего любимого телесериала. Я бы так не поступила, сразу ясно, сколько тебе лет, раз от «Коломбо» в восторге до сих пор пребываешь. Мигом станет понятно, что ты старше египетской пирамиды. В этом августе суденышки развалились, заказали новые. Идиот мастер название на них малевал, но ошибся, написал не «Коломбо», а «Котоломбо». Анекдот! Маргарита сначала расстроилась, потом решила ничего не исправлять, заказала у меня майки, их будут раздавать тем, кто...

— Смотрите! — крикнула Киса.

Я повернула голову. Я понимала, что тряпка, сшитая из ткани, которую в моем детстве почему-то называли «бумазея», не сделает Кису красавицей, но результат превзошел мои самые смелые ожидания. Девочка выскочила из кабинки, и я выпалила:

— Господи!

— Здорово? Да? — обрадовалась Кисуля и начала вертеться на одном месте.

— М-м-м, — протянула я, — слов нет.

Какие выражения подобрать, чтобы оценить нечто, висящее спереди гармошкой, но обтягивающее фигуру сзади, как латексный костюм? Прибавьте сюда длинные рукава и декольте до пупка.

Я потрясла головой и обрела дар речи:

— Можно размер поменьше?

— Этот икс икс эс, — фыркнула Зинаида. — Меньше только на гномика, но таких в продаже нет. Зато цена хорошая — четыреста рублей.

— Возможно, вы подыщете купальник подороже? — попросила я. — Он лучше сядет.

— Навряд ли женщина, которая у ребенка шоколадку отбирает, купит дорогой товар, — злорадно прошипела Зинаида Викторовна, — но я покажу. Уникальная красота.

На прилавке возникло нечто розовое, расшитое пайетками.

— Хочу такое! — ахнула Киса.

— Можно померить? — поинтересовалась я.

— Только крайне аккуратно, — предупредила торговка, — привезено из Милана. Сшито самим синьором Рикель. Украшения от Сваровски. Девочка, у тебя руки чистые?

Киса потерла ладошки друг о друга.

— Да.

— Иди в раздевалку, не спеши, не дай бог порвешь, — предостерегла Зинаида. — Стой! Какого цвета у тебя колготки? Синие? Нет-нет. Вдруг покрасят. Возьми вот эти!

Киса схватила упаковку и скрылась за дверью.

— Рикель известный итальянский модельер, очень дорогой, — завела дама, но я не выдержала и перебила ее:

— Соня Рикель женщина, к сожалению, она скончалась.

— К чему вы это сейчас сказали? — наклонила голову Филаретова.

— Она никак не могла сшить купальник, — договорила я.

— Почему? — удивилась Зинаида. — Когда Рикель скончалась?

— Точно не скажу, недавно, — ответила я.

Зинаида легла грудью на прилавок.

— Что мешало ей купальник до смерти сшить?

— Конечно, это могло быть, — согласилась я, — но Соня Рикель женщина.

— И у нее не было мужа? — прищурилась дама.

— Не знаю, — растерялась я.

— Лишь бы поспорить, — укоризненно произнесла Зинаида, доедая шоколадку, — на своем настоять.

— Вот какая я, — закричала Киса, выбегая в центр зала и начиная кружиться.

Ярко-розовый купальник сидел как влитой, множество пайеток, бусин, бисера сверкало и переливалось в свете люстры. В белые колготки, которые Зинаида дала девочке, были вплетены золотые и серебряные нити. У меня зарябило в глазах.

— Она без обуви! — ахнула хозяйка. — Девочка, ты запачкаешь чулочки. Твоей маме придется их купить!

— Да, да, да, — заскакала Киса, — очень хочу. О! Лампа, у нас есть деньги? Если нет, могу в черном купальнике заниматься.

— Он ужасен, — пробормотала я. — Сколько стоит то, что на ребенке?

— В сумме пятнадцать тысяч, — объявила Зинаида.

Я села.

— Сколько?

Зинаида схватила черный купальник.

— Товар на любой кошелек и на любую любовь к ребенку. Если денег и любви мало, то вот подходящая вещь. Четыреста рубликов. Безразмерная. Что на вас, что на ребенка годится. Можете по очереди носить. Произведено в селе Буркуртур... не выговорю. Страна — остров Финкамсиск. Где такой — не спрашивайте. Экологически чистый материал. Рекомендован детям. Если же вы копейки на черную икру не считаете и обожаете малышку, то предлагаю розовый, со стразами Сваровски. К нему белые колготки с разноцветной нитью, цена пятнадцать тысяч. Произведено в США. Корпорация «Товары для хореографии».

— Нет ли чего-то посередине? — поинтересовалась я. — Не за четыреста рублей, но и не за длинные нули.

Хозяйка закатила глаза:

— Какая сумма вам подходит?

— Две-три тысячи, — ответила я, — тоже не дешево, но в разумных пределах.

— Дети, чьи родители не могут заработать, сидят дома и тупо смотрят телевизор. Они не обучаются танцам в школе у Сергеевой, — отбрила Зинаида, — но я с пониманием отношусь к тем, кто не работает и поэтому вынужден одевать малышку в убожество. Для вас товар за четыре сотни.

— Многие с утра до ночи сидят в офисе и получают тридцать-двадцать тысяч в месяц, — заспорила я.

— Сидят в офисе, — повторила дама, — значит, надо из него выйти да найти место с достойным окладом. Не получается? Почему? Потому что ты стомиллионный бухгалтер, который как сто лет назад чему-то выучился, так с той поры квалификацию и не повышал. Вся проблема в лени. О чем мы спорим? Не нравится товар? Не подходит? До свидания. Девочка, раздевайся. Твоя мама ничего не покупает.

— Сделайте Кисе мою персональную семидесятипроцентную скидку, — произнес за моей спиной знакомый голос.

Я обернулась и увидела Алену Сергееву.

— Ну, раз ты просишь, тогда ладно, — процедила владелица бутика, — тогда и балетные тапочки дам в подарок.

Мне стало неудобно.

— Спасибо, я могу заплатить полную цену.

— Уж определитесь наконец, вы нищая или богатая, — фыркнула Зинаида. — Алена, не уходи, я пошла на склад за обувью и новым купальником.

— Цена завышена, — сказала хореограф, когда мы остались втроем. — Не переживайте, хозяйка лавки не разорится.

— Спасибо, — поблагодарила я, испытывая сильное смущение.

Получив из рук Зинаиды Викторовны пакет, мы с Кисой поехали в санаторий и вернулись в свой номер.

— Умывайся и ложись, — велела я.

— Можно еще раз купальник примерить? — заныла Киса. — Спать совсем-совсем не хочется.

— Ладно, — смилостивилась я и открыла упаковку, которую мне дала Зинаида, — отлично, он запечатан в полиэтилен.

— К нему юбочка полагается! — восхитилась Киса. — На пуговичках. В магазине такой не было.

— Мерить дают всем один и тот же купальник, а домой уносишь новый, никем не тронутый, — объяснила я.

— Здесь колготки пришиты, — заметила Киса, — у них нет ноги!

— Ступни, — поправила я, — перед тобой лосины.

— И вверху такие же, — обрадовалась Киса.

— Это рукава, — поправила я, удивляясь, почему купальник выглядит совсем не так, как в бутике.

Хотя... Он розовый, в пайетках, стразах, а на лосинах и рукавах сверкают блестящие нити. Скорей всего, не очень аккуратные дети, которые мерили форму для репетиций, оторвали от нее все, что можно. Поэтому владелица лавки давала Кисе колготки. В оригинале все пришито.

— Какой красивый! — восхитилась Киса, вмиг снимая джинсы и пуловер. — Как его вместе с лосинами надевать? Не понимаю.

Я зевнула.

— Очень просто. Кисуля, умираю, хочу лечь. Завтра утром отведу тебя на занятия танцами и помогу переодеться. Ты уже красовалась в стразах в магазине. Сжалься надо мной, отпусти меня спать.

— Ладно, — согласилась девочка.

Глава 12

В раздевалке кроме нас с Кисулей оказалась еще одна мама с малышкой. Мы поздоровались, открыли шкафчик и приступили к делу.

— Как это надевать? — повторила Киса вопрос, который задала вчера перед сном.

Я расстегнула молнию.

— Всовываешь ноги в лосины, потом натягиваешь форму на тело, руки суешь в рукавчики. Начинай, я потом застегну.

— Неудобно, — запыхтела Киса, — в магазине без всего пришитого легче получалось.

— Зато не придется чулочки отдельно надевать, — улыбнулась я.

Минут через пять Кисуля была упакована. Она подошла к зеркалу, а я в этот момент начала укладывать в шкафчик ее джинсы и пуловер.

— Ма, смотри, какой красивый купальник, — сказала другая девочка.

— Очень, — похвалила женщина.

— Я тоже такой хочу, — заканючила малышка.

— Сейчас спрошу тетю, она скажет, где форму покупали, — пообещала мать.

— Мне сзади холодно, — сказала Киса.

Я обернулась.

— Ой, девочка, у тебя попа голая, — ахнула женщина.

Киса бросилась к шкафчику, стащила купальник и схватила белые трикотажные трусики. Я же внимательно изучала форму. Только сейчас увидела: под розовой юбочкой ничего нет. Обычно купальник — это боди. А я вижу конструкцию с чулками-рукавами, застегнутую сзади на молнию, спереди цельную и... пустую под плиссе. Предполагается, что юная танцовщица останется в нижнем белье? Или надо натянуть колготки? Но ведь уже есть одни чулки. Очень странно.

Я начала вертеть изделие и заметила, что в ткани под тем местом, где закончилась молния, есть небольшое отверстие. Зачем оно? Можно в первую секунду подумать, что ткань просто слегка разорвалась. Но нет! Дырочка аккуратно обработана, края подогнуты, ее определенно сделали специально. С какой целью? Это ширинка? На спине? В форме для девочки? Почему мне в голову вечно лезут всякие глупости?

— Просим всех в зал, — раздался с потолка женский голос, — занятия начинаются.

Кисуля и вторая малышка убежали, мы с женщиной остались вдвоем.

— Лена.

— Лампа, — сказали мы одновременно и рассмеялись.

— Где вы взяли столь необычный купальник? — осведомилась Елена. — Поделитесь адресом?

— Не советую обращаться в бутик, где я вчера купила форму, — вздохнула я, — там слишком дорого, продавщица неприятная. И она нам дала в результате не то, что Киса мерила. Согласитесь, форма странная.

— Инструкция есть? — поинтересовалась Лена.

Я вынула из пакета коробку.

— Сейчас посмотрю. Ох! Она на китайском, нет перевода на русский. И почему вчера в магазине я не проверила комплектность? По закону при любом товаре должен находиться текст на русском.

Елена протянула руку:

— Можно?

Я отдала ей упаковку.

— Сейчас прочитаю, — пообещала она, — я работаю переводчиком с китайского. Моя мать родилась в Пекине, жила там до двадцати пяти лет, пока из России не приехал мой будущий папа, который что-то там в Китае покупал. Потом они поженились, родилась я... Ой!

— Что такое? — насторожилась я.

Лена хихикнула.

— Слушайте. «Фирма «Любовь четыре лапы» представляет коллекцию «Моя счастливая собака на карнавале». Упаковка номер один содержит в себе наряд для пса-девочки. Идеально подойдет всем гладким породам среднего размера. Вашим любимцам с длинной шерстью его не рекомендуем, так как застежка-молния может прищемить волосинки и причинить им боль... и... и...

Елена расхохоталась.

— Простите, пожалуйста. Неудобно, что смеюсь. Честное слово. Сдержаться не могу.

— Хотите сказать, что я купила карнавальный наряд для собаки? — заморгала я.

— Да, — кивнула Лена, — размер на королевского пуделя, лабрадора, ротвейлера.

— Вот почему под юбочкой пусто, — пробормотала я, — и дырка в комбинезоне! Она сделана для хвоста.

— Точно, — согласилась Елена, — наш народ иероглифов не знает. Оптовики берут у поставщиков товар, опираясь на инструкцию, которую тому продающая сторона предоставила. А китайцы, несмотря на некогда крепкие связи с СССР и большое количество граждан Поднебесной, которые учились в Москве, Ленинграде и других городах, в массе своей не говорят на русском. Где отоваривается мелкий торгаш? На базе, а там горе-переводчики. Один раз я видела руководство к стиральной машине, которую продали моим друзьям как посудомойку.

Я рассмеялась и тут же осеклась:

— Лена, пожалуйста, не рассказывайте никому о конфузе. Бедную Кисулю дети задразнят. Надо мне ее потихонечку увести.

— Ребята не поймут, чья одежда на малышке, — начала успокаивать меня Лена.

— Зато родители догадаются, — возразила я, — наверное, в зале есть пара мамочек из категории тех, кто всегда присутствует на уроках. Вот они...

Дверь открылась, показалась голова мужчины:

— Все одеты? Извините.

— Дети ушли, а мы не переодеваемся, — кокетливо сказала Лена, — нас плясать не зовут. Мы старые лошадки.

— Можно войти? — спросил незнакомец.

— Пожалуйста, — разрешила я.

— Здрассти. Николай, — представился мужик и сел на скамеечку.

Мы с Леной назвали свои имена.

— Там девчонка в розовой форме, — засмеялся Николай, — ну ваще просто! Где только такую купили?

Я опустила глаза. Ну вот. Началось.

— Моя Катька от зависти чуть не лопнула, — весело продолжал отец, — скандалезу закатила: почему у нее такого прикида нет. Чей ребенок-то?

— Мой, — призналась я.

— Подскажите адресок магазина, — попросил дядька. — Если баба плачет, у меня желудок скручивает. Че хошь куплю, пусть только заткнется. А уж когда доча рыдает, я ей все принесу. Где брали красоту? Суперская шмотяра! Блестит, аж в глазах тошнит.

— Ну... понимаете, — замямлила я, — эта вещь... э...

— Я привезла Лампе форму в подарок, — пришла мне на помощь Елена, — из загранкомандировки. В России она не продается.

— Ясненько, — процедил мужик, — не желаете адресом поделиться. Хотите, чтобы девка одна в таком наряде фитиляла. Ну, ... с вами! Подавитесь купальником, чтоб он у вас разорвался, в лохмы превратился.

— Немедленно убирайтесь из женской раздевалки, — вскипела Елена, — приперся и ругается!

Мужик, бормоча себе под нос гадости, удалился.

— Не переживай, — перешла со мной на «ты» Лена, — дураков и грубиянов вокруг навалом. Никто не поймет, что на твоей Кисе. Ничего ей не говори. Купи новый купальник и подари. Она его наденет, про старый забудет. Танцы длятся два часа, потом дети нормально оденутся и на другие занятия пойдут. Времени много. Успеешь.

Я поблагодарила ее за совет, пошла на ресепшен и обратилась к администратору:

— Мне вчера очень понравился пирог, которым Вероника в избушке угощала. Если приеду к ней просто так, есть шанс его попробовать?

— Конечно, — улыбнулась девушка, — сейчас Алексея вызову, оплачивать ничего не надо, хозяйки запретили с вас хоть копейку брать.

* * *

— Катакомбы? — удивилась Ника. — Это что?

— Сеть запутанных пещер под землей, — объяснила я.

— Они под этой избой? — недоумевала Вероника. — Жилье не наше, служебное, не знаю, что где находится.

— Думаю, тот, кто отправил записку, соврал, чтобы получить деньги, — пояснила я, — или ошибся. Но давайте проверим.

— Как? — спросила Вероника.

— Поднимем ковер, посмотрим, что в подполе, — предложила я.

— Нет, — испугалась Ника, — Маргарита Федоровна запретила.

— Она не узнает, — сказала я, — мы осторожно.

— Нет, нет, нет, — в панике отказывалась Вероника.

— Хорошо, как хотите, — вздохнула я, — думаю, Татьяна обратится в полицию и...

— Не надо, — запаниковала Ника, — мать окончательно с ума тогда сойдет.

Я развела руками:

— У нас есть два варианта. Или мы очень аккуратно смотрим, что в подполе, или сюда приедет бригада полицейских. Татьяна очень хочет найти свою сестру, она точно поднимет шум.

Ника покусала нижнюю губу, потом выпалила:

— Сами поглядим.

— Мудрое решение, — одобрила я. — Где ваш муж?

— Леша сейчас в отеле что-то чинит, — пояснила Ника, — вас он в виде исключения привез. Сегодня в зоопарке выходной. Звери от людей устают, им в себя прийти надо.

— Где Алексей инструменты хранит? — спросила я.

— Сейчас принесу их, — пообещала Ника, — сама край ковра отодвину, все снимать нет необходимости. Только бы старуха не проснулась. Господи, пусть мать спит подольше.

Глава 13

Вероника умело обращалась с гвоздодером, она живо освободила часть ковра, скатала его, обнажился пол из досок. Каждая из них была крепко соединена с другими, покрыта темно-коричневой краской, а сверху еще и лаком. На одной доске было небольшое железное кольцо. Я присела на корточки и увидела, что по нему сверху прошлись кистью. Подцепить его невозможно.

— Ну вот, — повеселела Ника, — говорила же вам! Нет тут никаких подвалов. Просто использовали при строительстве старый материал.

— Дайте нож, — попросила я, — длинный, острый, попробую все же поднять доску.

— Еще поцарапаете, — возразила Вероника.

— Полиция тут вообще все разворотит, — сказала я.

Ника молча вышла и вернулась с каким-то инструментом, название которого я не знала.

— Лучше я сама, — мрачно заявила она и ловко оторвала деревяшку.

Меня охватило разочарование, под доской оказался какой-то материал.

— Утеплитель, — пояснила Ника, — его тоже вытаскивать надо?

— Да, — отрезала я.

Вероника вытащила кучу чего-то, похожего на серую вату. Стало видно цементную стяжку.

— Говорила вам, — упрекнула меня Ника, — нет ничего под полом. Давайте порядок наведем.

— Врет, — громко заявила Анфиса Ивановна, появляясь в комнате.

Вероника попыталась заткнуть старухе рот, в прямом смысле этого слова, пирогом.

— Мама, хочешь чаю? Сейчас заварю, подогрею кулебяку.

Анфиса уселась на диван.

— Сама свою дрянь пей. Заварить нормально не способна. Подает в чайнике писи сиротки Хаси. Так моя подруга Фая называла напиток, который жадные неумехи готовят. Уехала Конторер в Израиль, теперь одна живу.

— У вас дочь есть и зять, — я зачем-то решила поспорить с больной женщиной.

— Мужик чужой! — крикнула Анфиса Ивановна. — Вероника чудовище! Она любит призрака дорог! Я видела их вместе! Страсть у них! Разврат! Не ставь мне чашку! Знаю, ты давно хочешь меня отравить!

Дочь села на стул, опустила глаза и молча застыла.

Анфиса Ивановна показала на Нику пальцем:

— Вот! Не возражает. А почему? Знает, что виновата!

— Мама телевизор любит смотреть, — тихо сказала Ника, — а потом путает то, что видела на экране, с действительностью. Я люблю только своего мужа.

Вероника замолчала.

Анфиса схватила меня за руку, я вздрогнула. Пальцы больной оказались жгуче-холодными, как куски сухого льда.

— Знай! Она меня убьет! Расскажи всем — Вероника мразь!

Выкрикнув последние слова, добрая маменька вздернула подбородок и ушла. Мы с Никой остались сидеть в молчании. Я первой нарушила тишину:

— Моя хорошая знакомая владеет домом престарелых. Специализация заведения — агрессивные старики с нарушением психики. У них отдельные квартиры, круглосуточный присмотр, сиделка, врачи, библиотека, кино, концерты, прогулки. Еда выше всяческих похвал. Могу Соне позвонить, она найдет для Анфисы местечко.

— Спасибо, нам с Лешей такая сказка не по карману, денег едва на жизнь хватает, — вздохнула Ника.

— Кто вам сказал, что Соня просит нереальные суммы? — удивилась я. — Ее муж очень богатый бизнесмен, она занимается благотворительностью, приют бесплатный.

— Правда? — прошептала Ника.

— Да, — заверила я.

— И маму можно туда устроить? — обморочным голосом спросила дочь.

— Очень постараюсь это сделать, — пообещала я.

Вероника заплакала.

— Мама хороший человек. Просто она... немного не в себе! Рассказывает про меня всякие ужасы, а некоторые люди верят. Она часто нормальной посторонним кажется.

— Вы случайно не знаете Антонину Семеновну Полковникову? — перевела я беседу в нужное мне русло.

— Посетителей у нас много, — ответила хозяйка, — они, когда чай пьют, только имена сообщают, фамилий не называют.

— Антонина местная, — уточнила я, — работает в школе в Полынове.

— Аборигены сюда не рвутся, — скуксилась Вероника, — забава для москвичей в основном. Я не хочу отравить маму, не желаю ей смерти.

— Понятно, — вздохнула я, — еще раз извините за вторжение. Поеду к Полковниковой. Надеюсь, смогу узнать, кто записку про катакомбы написал, и выяснить, как ему удалось снять деньги с чужой карточки?

— Ой! На чем вы приехали? Думала, вас Леша привез, — спросила Ника, провожая меня на крыльце.

— Администратор на ресепшен начала его вызывать, — улыбнулась я, — но сегодня, как вы верно уже заметили, в зоопарке выходной, Алексея отправили что-то чинить, ему понадобились запчасти, он уехал в магазин. И мне дали... не знаю, как назвать этот транспорт, нечто типа трактора.

Вероника похлопала агрегат по рулю:

— Его собрал Алексей. Сам. Лешик рукастый, все умеет. У некоторых мужиков убери из санузла рулон туалетной бумаги, и у них депрессия начинается. Мой муж не падет духом и на необитаемом острове. Через год корабль придет, а у Лешика уже дом крепкий, еды полно и он кинотеатр соорудит.

Ника засмеялась.

— Вот придумал эту машину, она и по лесу проедет, и по городу. Сам из ничего собрал, на помойках все детали нарыл. Вы в Полыново собрались?

Я кивнула.

— Вы лучше не по шоссе езжайте, — заметила Ника, — сейчас налево и прямо по просеке, окажетесь на окраине. Так намного быстрее докатите. Лешин бездорожник повсюду пройдет. Муж так свое дитя назвал — бездорожник.

Я залезла на сиденье, схватилась за руль, медленно поехала по широкой просеке и минут через десять оказалась в Полынове.

Глава 14

— Моя карточка? — заморгала Антонина Семеновна. — Двадцать тысяч? КОтОкомбы? С ошибками?

— Именно так, — подчеркнула я, — учитывая небольшую сумму денег и грамматические нелепицы, в голову приходит мысль о ребенке. Вы занимаетесь репетиторством?

— Иначе нам не выжить, — начала оправдываться Полковникова, — беру недорого.

— Дети к вам на дом ходят? — спросила я.

— Нет, — возразила Полковникова, — не хочу грязи в квартире, будут потом сплетничать, что у меня да как. Сама учеников посещаю.

— Сумку, когда на занятия являетесь, где оставляете? В прихожей? — уточнила я.

— Нет, в комнату приношу, кладу возле себя, — разочаровала меня Антонина. — Зайка! Ты где? Пройди в холл. Зайка!

В прихожей появился угрюмый подросток.

— Ма! Перестань орать «Зайка». Меня зовут Антон.

— Потом матери замечание сделаешь, — сердито остановила Антонина сына. — Ну-ка, расскажи Евлампии...

— Чего? — скорчил гримасу подросток.

— Про мой онлайн-счет. Про двадцать тысяч.

— Зачем?

— Говори.

Антон протяжно вздохнул.

— Мать в компах не рубит, зайдет в банк и ну кричать: «Антон, помоги. Надо деньги на счет положить, а как?» Анекдот прямо.

— Ты не родился умным, — рассердилась Антонина, — я тебя читать, считать, красиво есть научила. Теперь твой черед маме помочь.

— Что случилось с деньгами? — спросила я.

— Мать полезла проверять онлайн-счета, — хмуро начал Антон, — меня, как всегда, от дел отвлекла. Обнаружила, что кто-то отправил ей двадцатку, та была и пропала. Мать велела разобраться. Ну, мне-то это не долго.

— Антон хорошо компьютером владеет, — пояснила учительница, — он отличник. Ни одной четверки.

— Хватит, ма, — попросил подросток, — это никому не интересно.

Полковникова укоризненно цокнула языком.

— Вот женишься, родишь сына, вложишь в него всю свою любовь, а он потом тебя уважать не будет. Поймешь тогда, как это обидно.

Парень взглянул на меня:

— Продолжать? Или уже хватит?

— Говорите, — скомандовала я и услышала захватывающий рассказ.

Антон позвонил в банк, назвался Антониной Семеновной, спросил: «Кто мне двадцать тысяч перевел и куда они делись?» Сотрудница ответила: «Один из наших клиентов случайно допустил ошибку. В окончании номера своей карты он последнюю цифру указал неверно. Деньги попали к вам. Вскоре после перевода клиент спохватился, и банк вернул ему сумму».

— Ерунда ваще глупая, — завершил историю подросток.

Мне стало смешно.

— Очень правильно вы сказали: «Ерунда ваще глупая». Антонина Семеновна, вы часто посещаете банк?

— Нет, — удивилась Полковникова. — Зачем? Я завела кредитку. Очень удобно, никуда ездить не надо. Запихиваешь купюры в банкомат, и они в кубышке, получаешь их там же.

— Замечательная система, — согласилась я, — но, к сожалению, вы кое-чего не знаете. Как объяснил Антон: он представился вами, ему объяснили, что некий клиент не туда ткнул пальцем и деньги прилетели к вам. Ну очень редкий случай, однако, с большой натяжкой, возможный. Но! Ни один клерк не станет беседовать с мальчиком, который сказал: «Я Полковникова», и никто не имеет права без ведома владелицы переводить хоть одну копейку с вашего счета. Если уж случился столь странный косяк, вам позвонят, сто раз извинятся, объяснят произошедшее и попросят: «Уважаемая Антонина Семеновна, разрешите забрать у вас чужие деньги?» Вы человек честный, поэтому ответите: «Конечно». Сотрудник продолжит: «Нам очень неудобно, но вам придется приехать в офис, чтобы подписать пару документов». Вы отправитесь в банк, оформите перевод, перед вами еще раз раскланяются, сделают вип-подарок, получите календарь, блокнот, ручку, зонтик, кружку с логотипом финансового учреждения. Иначе никак. И уж поверьте, банк соблюдает все эти правила досконально, неприятности ему не нужны.

— Но двадцать тысяч пришли-ушли, — растерялась Антонина, — никто мне не звонил!

— Я забыл тебе сказать, — быстро сориентировался Антон, — один дома был, ты куда-то унеслась, как обычно.

— Скорей всего, отправилась деньги зарабатывать, чтобы сына накормить-одеть-обуть, — предположила я. — Примите мой совет: иногда лучше промолчать, чем глупо врать.

— Я никогда не лгу, — вмиг разозлился подросток.

— Значит, я сейчас стала свидетельницей первого вашего опыта, — хмыкнула я, — а первый блин, как известно, комом. Антон, неужели вы не знаете, что банки ведут записи всех бесед с клиентами. Легко доказать, что вы не говорили о двадцати тысячах. Все передвижения денег аккуратно регистрируются компьютером. Секунду!

Я взяла трубку и поставила ее на громкую связь.

— Филипп, я просила выяснить информацию о Полковниковой.

— Легче только банан съесть, — ответил Фил. — Двадцать штук положили на ее счет в Москве. Банкомат находится в супермаркете «Голубка». Время пятнадцать ноль-семь. Сняли их в пятнадцать восемнадцать в банкомате в спортклубе «Арм», Полыново, Московская область. Видео с камеры, которой снабжен банкомат, я отправил тебе на почту. Интересная деталь. У госпожи Полковниковой в тот день на карте включали программу «анонимный взнос».

— Что это, объясни, — попросила я.

— Обычно при переводе денег с карты на карту надо ввести не только номер платежного документа, но и фамилию-имя его владельца. Но, если ты не хочешь указывать того, кому уходит сумма, запрос о данных получателя можно убрать. Тогда одновременно закрывается и информация об отправителе. То есть Полковникова получила от кого-то деньги. Она не знала, кто их ей отправил. А тот, кто отсылал, не вписывал данные Антонины, он ввел только номер карты, платеж же прошел, потому что у Полковниковой включили «анонимный взнос». Однако банк все равно увидит, кто, кому, сколько перевел. На карту Полковниковой установили программу для получения денег без имени-фамилии в день прихода двадцати штук от госпожи Утятиной. И убрали эту функцию сразу после снятия всей суммы. Антонине Семеновне никто из клерков никогда не звонил, она сама тоже не беседовала ни разу ни с кем из банка. Что-то еще?

— Спасибо, это все, — поблагодарила я Филиппа.

— Клуб «Арм»? — всплеснула руками учительница. — Антон! Ты же там занимаешься! Немедленно объяснись!

Мальчик сжал кулаки и заорал:

— Я пью? Курю? Нюхаю клей? По подвалам шатаюсь? Ворую? Нет! Отличник, спортсмен, победитель олимпиад. Я виноват, что твой первый сын от наркоты загнулся? Я ему дурь дал? Я его научил? Я подонок?

— Антоша, что ты несешь, — ахнула мать, — твой несчастный брат умер от тяжелой болезни, онкологии...

Антон расхохотался и постучал себя кулаком по лбу.

— Мать! Ау! Мне не пять лет. Я все знаю! Передоз герыча. Не первый раз с ним это случилось. Вот он и сдох. Туда ему и дорога!.. Гоблином он был.

— Тоша! Кто тебе рассказал? — возмутилась Антонина. — Это ложь!

— Мать! Ты еще глупее, чем кажешься, — огрызнулся подросток. — Сколько школ в Полынове? Одна! Ты в ней работаешь, а я учусь. И тот твой, первый, придурок ее посещал. Кто мне про брата-нарика разболтал? Библиотекарь Тамара Николаевна. Ты ей гадость про дочку Ленку сказанула, типа та только о мальчиках думает, со всеми спит, уже аборт сделала, позорит школу и своих родителей.

— Это чистая правда и ни капли лжи, — покраснела Антонина, — отвратительная девица, развратная.

— Тебе до нее какое дело? — окрысился сын. — Какого, блин, ты ко всем лезешь, воспитываешь, поучаешь? Молчи в тряпочку!

— Я педагог, — гордо заявила Полковникова, — воспитатель, обязана сообщать родителям плохих детей правду, пусть и горькую. Это...

— Знаю, знаю, — отмахнулся сын, — лекарство во исцеление. Мать! Если ты обожаешь народу в морду правду швырять, то и тебе ее кинут. Тамара Николаевна мне сообщила, как все вокруг от твоего первого идиота стонали, ты не имеешь права других ... обзывать!

Глаза Полковниковой заблестели, но сына уже было не остановить.

— Я понять никак не мог! Почему ты мне денег не даешь? Ни копейки! С ребятами дружить запретила! Каждый мой шаг проверяешь? Ну какого ...!

— Не ругайся, — велела я.

— Не лезьте! — завизжал Антон. — Приперлась тут, блин! Ха! Ясно теперь! Она мне не доверяет. Дебилом, как первого своего наркомана, считает. Кретином убогим! ...! ...!

Антонина Семеновна закрыла лицо руками и убежала.

— Молодец, — воскликнула я, — довел мать до слез.

— Она меня вынудила, — проорал Антон, — сама...

Я стукнула кулаком по столу.

— Молчать!

Подросток замер с открытым ртом.

— Издашь сейчас хоть один звук, отправишься в полицию, получишь срок за шантаж, — пригрозила я, — будет у Антонины в придачу к сыну наркоману еще и уголовник. На зоне олимпиад по математике не устраивают, там тебе авторитет не заработать. Ты отвратительно злой ребенок.

— Я давно взрослый, — буркнул Антон.

— Нет, — зашипела я, — мерзкий маленький мальчишка, эгоистичный балбес, который думает только о себе. Одни пятерки получаешь? Так для себя стараешься, не для матери. Ей в институт-то поступать уже не нужно. Тебе ЕГЭ и экзамены в вуз сдавать! И мне любящий сын-двоечник милее ненавидящего мать золотого медалиста. Знаешь, сколько страданий ты Тане принес?

— Кому? — заморгал Антон.

— Уже забыл? Той, кому ты эсэмэску отправил, у кого деньги вымогал, — возмутилась я и рассказала про Утятиных.

Естественно, я сообщила не все, что знала, только то, как Галя любит свою дочку и сестру Таню, много работает и как она внезапно пропала, поехав в гости к подруге, которую потом нашли убитой на шоссе.

— Я не знал, — прошептал Антон, — честное слово! Думал сначала, что это Ирка прикалывается, поэтому сказал: «О'кей, я все сделаю. Но с вас двадцать тысяч». У меня есть девочка... Вот. Только матери не говорите, она не поймет.

Я выдохнула и уже другим тоном попросила:

— Антоша, давай ты все мне расскажешь по порядку и очень подробно. Каждое твое слово необыкновенно важно. Не упускай ни одной детали, даже той, которая тебе кажется пустяковой. Все твои ощущения очень важны. Однажды мы помогли человеку, потому что свидетель вспомнил, что от одной женщины пахло ананасом.

— Ладно, я постараюсь, — пообещал Антон и начал рассказ.

Глава 15

Антону очень нравится Нина Воробьева, и она ему симпатизирует. У них сходные интересы, оба отличники-ботаники, над ними по-

смеиваются одноклассники. Ниночка не красавица, носит очки и одевается не по последней
моде. У ее родителей нет больших денег, но она
не переживает из-за отсутствия дорогих вещей.
Зато у ее семьи огромная библиотека. У Антона
та же ситуация, только его мать, боясь, что сын
подсядет на героин, не дает ему денег вообще.
Нина охотно разрешает Антону рыться в семейной библиотеке, а он пускает девочку к полкам
в своей квартире.

Как-то раз Нина обмолвилась, что давно хочет заиметь планшетник, в него можно закачать
кучу всего. В Интернете работает портал litres.
ru, там много хороших книг, не дорогих, а главное, есть более тридцати тысяч бесплатных из-
даний.

— Даром раздают? — удивился Антон.

— Да, — подтвердила подруга.

— Супер, — восхитился он, — не фигню?

— Отличные произведения, — заверила девочка, — да только мне их закачать некуда.

Тоша знал, что у Нины через три месяца день
рождения, и решил подарить ей самый лучший
планшетник. Стоил гаджет дорого, но Антона
не испугала цена, он стал зарабатывать. Как?
В школе у них придирчивые учителя, скачи-
вать из Интернета доклады они не разрешают.
Всякий раз, когда кто-то нарушает запрет, педагоги это обнаруживают и в дневнике лентяя
выводится жирная двойка. Большинство ребят
в классе Антона, да и в параллельном тоже, не
хотят напрягаться, у них обеспеченные родите-

ли, дети живут не в Полынове, а в таунхаусах, которые теперь кольцом опоясали городок, и хорошо понимают, что им оплатят обучение в вузе, зачем напрягаться? А Нине и Антону необходимо попасть на бюджетное отделение, у их мам в кошельках не густо с деньгами.

Муниципальная школа в Полынове считается одной из лучших, в ней прекрасный педсостав, у директора много приятелей среди представителей крупного бизнеса, которые помогают гимназии. В ней есть бассейн, спортклуб, театр. А внеклассной программе позавидуют многие московские школы, где за обучение надо отдать ого-го какие деньги. Ребята из Полынова побеждают на олимпиадах, музыкальных конкурсах. Но, увы, встречаются и такие, как одноклассники Антона. Денег у их родителей много, а ума у детей мало, желания учиться никакого. Вот представителям этой категории Полковников и предложил писать за них доклады, естественно, за деньги.

Антоша усиленно работал, собрал приличную сумму, оставалось надыбать еще двадцать тысяч, и тут педагоги, словно сговорившись, перестали задавать сочинения-выступления-рефераты на разные темы. Бизнес Тоши заморозился.

В классе Полковникова учится глупая Ира Постина. Смысл ее жизни разыгрывать ребят. Дурочка может положить в чужой портфель тряпку, смоченную в селедочном рассоле, налить воды за шиворот, утащить у тебя кошелек и запихнуть его в карман чужой куртки. Смешно? Совсем нет. А Ире весело. На Хэллоуин у нее всегда самый страшный и дорогой костюм, родители нанимают дочери гримера. Наряду с примитивными розыгрышами Ирочка устраивает масштабные спектакли. Ее фантазии можно позавидовать. И она постоянно пристает к Антону. Он отковыривал от пола свои кроссовки, которые приклеила неугомонная Постина, вытряхивал из коробки с завтраком резиновых червей, до тошноты похожих на настоящих, оттирал сиденье парты от меда и один раз безумно перепугался, когда на него из-за угла родного дома кинулась здоровенная, явно бешеная, с открытой пастью, из которой капала пена, собака. Антоша побежал от нее, споткнулся, упал, чуть не описался, а пес встал на задние лапы, расхохотался и голосом Ирки спросил:

— Полковников, не хочешь свою мамочку на помощь позвать?

Не так давно Антон вместе с классом поехал в санаторий «Теремок», ребятам устроили веселый отдых: посещение зоопарка, потом чаепитие. Подросток полюбовался на зверушек, угостился пирогом, ему стало скучно, одноклассники надоели, вот он и пошел бродить в одиночестве по лесу, случайно наткнулся на маленький домик. Антоша долго гулял, основательно замерз. Он не собирался заходить ни к кому в гости, хотел вернуться в избу, где пили чай его товарищи, но поскользнулся, упал, напоролся на что-то острое, разорвал брюки, сильно поцарапал ногу, поэтому решил попросить у хозяев домика вымыть коленку, открыл ворота, прошел во двор, увидел на двери здоровенный ржавый замок, на окнах железные ставни, обошел строение, постоял у задней стены, собрался уходить и вдруг услышал женский голос:

— Мальчик!

Тоша чуть не упал.

— Кто здесь?

— Я, — прошептали не пойми откуда, похоже, из подвала дома, — помоги... Пожалуйста...

И тут Антон понял: это очередной прикол Ирки. Ее мать постоянно катается в «Теремок», парится там в бане, отдыхает в СПА, всегда берет с собой дочурку. Постина потом хвастается перед одноклассницами маникюром с блестками, рассказывает, как косметолог обмазывала ее шоколадом. Девчонки зеленеют от зависти, а Антон удивляется. Ну зачем это делать? Конфеты лучше съесть. Когда класс собрался на экскурсию в зоопарк, Ира скорчила гримасу.

— Сто раз там была. Фу! Ничего интересного. Развлекуха для детсадовцев. Чай в избе мерзотный. Я тоже в этот день прикачу в «Теремок», но с вами шляться не стану. Мне покрасят волосы в розовый цвет, потом я вкусно поем в ресторане. А вам пироги жуткие дадут. Полковников, тебя, конечно, мамочка не пустит. Вдруг сыночек в лесу заблудится?

— Я точно поеду, и тебе мало не покажется, — пообещал Тоша, — подсыплю в твою жрачку дохлых мух.

— Ха, — засмеялась Ирка, — сначала их поймай!

Антон бросил в противную девицу учебник и неожиданно попал ей в лоб.

— Дурак, — завизжала она, — синяк будет!

— Ночью в сортир без фонаря пойдешь, — ответил одноклассник.

Вот почему, услышав не пойми откуда голос, мальчик подумал, что Ирка замыслила нечто грандиозное, эпохальную гадость для него.

— Открой дверь, — шептала одноклассница, старательно изменив голос.

Антон решил выяснить, что затеяла Постина, и вступил в разговор:

— Она заперта на замок. На окнах тоже засовы с запорами. Все, Постина, хорош. Можешь сколько угодно прятаться и прикидываться. Знаю, что это ты. Покедова!

— Мальчик, не уходи, — заплакали вроде в доме. — Хочешь денег?

— Кто же откажется, — заявил Антон.

— Запомни телефон... позвони Татьяне... скажи... Хухря... катакомбы, тебя наградят... проси... сколько... хочешь... номер очень легкий...

Телефон, который озвучила якобы незнакомка, и впрямь оказался проще некуда, он состоял из одних единиц и двоек.

— Ты меня не обманешь, — крикнул Антон и поспешил назад.

На следующий день в школе он хотел сказать Постиной, что она зря старалась, сидела в запертом доме. Антон ее прикол вмиг раскусил, но девочка не явилась на занятия. На последнем уроке классная руководительница объяснила:

— Иру вчера утром положили в больницу, у нее аппендицит вырезали. Давайте запишем для нее коллективное пожелание здоровья.

И лишь тогда у Антона включилось логическое мышление. Он же пошел гулять по лесу спонтанно, ему надоело сидеть в избе с одноклассниками и бесконечно жевать пироги. А еще Тоша не любит духоту, хозяйка же избы натопила до ужаса. Как Ирка могла узнать, что он наткнется на домик? Паренек никому не говорил, в какую сторону потопает. И он понятия не имел, где находится строение. Кроме того, и дверь, и ставни постройки были тщательно заперты снаружи. Ну никак Постина не могла внутрь попасть. Может, там и впрямь кто-то находится? Вероятно, надо отправить эсэмэс. Звонить он не станет. Антон получит от Татьяны двадцать тысяч, купит Нине планшет. У него прекрасная память, а телефон, состоящий из двух повторяющихся цифр, запомнил бы кто угодно. Имя Татьяна тоже не сложное. Что такое Хухря, Антон, правда, понятия не имел.

После уроков он сбегал на рынок, купил «серую» симку, отправил эсэмэс, вернулся домой и сел за компьютер. Мальчик постоянно помогал матери, которая очень плохо владеет

Интернетом, он имел доступ в банк. Он легко включил на маминой карте «анонимный взнос» и стал ждать. Дальше все известно.

— Ты получил деньги, — пробормотала я, — молодец.

— Да, — кивнул подросток, — купил Нине гаджет и пока спрятал.

Я встала.

— Одевайся.

— Зачем? — спросил Антон.

— Ты не подумал, что несчастная женщина в тщательно закрытом доме чья-то пленница? — спросила я. — Не сообщил о ней в полицию, не поднял шума, не привлек внимания.

— Когда деньги пришли, я передал информацию ее сестре, — возразил Антон, — слово в слово.

— Но не сообщил адрес, где искать беднягу! — процедила я. — Поехали.

— Куда? — испугался паренек. — И как я объясню, где тот дом? В лесу он находится.

Но я уже говорила по телефону с Володей Костиным.

— Понял, — коротко ответил мой ближайший друг, а теперь правая рука Макса, второй человек в нашем агентстве, — выезжаем. Жди нас в фойе санатория.

— Лучше в номере, — возразила я, — не хочу, чтобы подняли шум, надо действовать тихо.

— Я выполнил все, что обещал, — заныл Антон, всовывая ноги в сапоги, — эсэмэс отправил.

— Иногда требуется сделать больше, чем просили, — буркнула я.

— Вы куда? — занервничала Антонина Семеновна, выбегая в прихожую. — Что происходит?

— Нормалек, ма, — отмахнулся сын, — я скоро вернусь.

— Поехали с нами, — предложила я учительнице, — Антон вам все по дороге объяснит.

Глава 16

— Боже, — прошептала я, — что здесь происходило?

— Похоже на тюремную камеру, — сказал Костин, — на полу грязное одеяло, к стене цепь прикована, грязи по колено.

— И ведро, — пояснил эксперт Сергей Чесноков, который прибыл вместе с Вовой, — оно туалетом служило.

— Где пленница? — спросила я.

— Когда мы приехали, замок на двери был заперт, — сказал Чесноков, — но внутри не оказалось ни одного человека. Вывод: арестанта увели.

— Эй, сюда, — крикнул из коридора другой наш сотрудник, Леонид Бурков, — я думал, это шкаф, а там вона чего!

Я кинулась на зов, увидела открытую дверь в стене, прошла в нее и очутилась в небольшой комнате, там стояли письменный стол, около него стул, а напротив табуретка. Вся мебель была привинчена к полу.

— Напоминает кадр из сериала о жестокостях НКВД в тридцатых годах, — заметил Володя, — интересный, однако, домик.

— Почему Галя сказала Антону про катакомбы? — спросила я.

— Мы не знаем точно, кого тут держали, — возразил Костин.

— Но женщина просила позвонить Тане, — напомнила я. — Антон мог не разобрать слово «Хухрик», ему послышалось Хухря.

— Это не доказательство, — уперся Володя.

— Нашли пуговицу, — сообщил Леня, входя в помещение, — вот она.

Я взглянула на прозрачный пакет, который Бурков держал в руке, вытащила телефон, сделала фото и отправила Тане с вопросом: «Когда-нибудь видели эту пуговицу?»

Ответ прилетел мгновенно.

«Да. На кофте Гали. Она ее надела в день исчезновения. Розовый шерстяной кардиган».

Я хотела сказать Володе, чтобы он наконец признал: тут держали Галю, но не успела, телефон затрезвонил в руке. Меня искала старшая сестра Утятина.

— Слушаю, — произнесла я, включая громкую связь.

— Вы нашли Хухрика? — закричала Таня. — Где? Нет, нет, я не то спросила. Галочка жива? Скажите «да»! Умоляю, скажите «да». Пусть будет «да». Ну, пожалуйста!

У меня перехватило дыхание, я протянула трубку Володе, тот откашлялся.

— Добрый день, Татьяна. Я Владимир Костин. К сожалению, мы пока ничего не знаем о судьбе вашей сестры.

— Это ее кофточка, — перебила его Утятина, — такими в Москве не торговали. Галя привезла две из Италии. Голубую подарила мне, розовую оставила себе. Пожалуйста! Скажите честно, что с ней. Лучше ужасная правда, чем ужас без конца. Я готова принять любую весть! Сестры больше нет?

Костин тяжело вздохнул.

— При проведении следственно-оперативных действий обнаружена пуговица. Мы пока не можем утверждать, что она от вещи Галины.

— На матрасе есть волосы, — сказал Сергей, — несколько с луковицами.

Володя кашлянул.

— Татьяна, у вас остались вещи Галины? Зубная щетка? Расческа?

— ДНК, — прошептала Таня, — я ничего в ее комнате не убирала. И в ванной все на месте.

— Вот и хорошо, мы их возьмем. Я позвоню, — пообещал Костин и нажал на экран.

Я посмотрела на часы.

— Надо Кису из детского центра забрать. Я просила Филиппа найти информацию по Ларисе Гурковой, подруге Галины. Таня полагает, что сестра с ней уехала.

— Кабы противный мальчишка сразу бросился в полицию, возможно, был бы шанс найти женщину живой, — в сердцах воскликнул Костин.

— Он ребенок, — защитила я Антона.

— Жеребенок, — только сильней осерчал Костин, — живо сообразил, как деньги стребовать. Надо узнать, кому это строение принадлежит. Похоже, в доме давно не живут. Здесь сыро, холодно, грязно...

— Зачем ставить железную дверь и делать такие же ставни? — с запозданием удивилась я.

— В Подмосковье часто грабят дачи, — подсказал Сергей, — у моего соседа по садовому товариществу все унесли, а что не стащили — разломали. Я еще могу понять человека, который имущество забирает, его продать можно. Но на фига стулья в щепки превращать?

— Хороший человек чужого не возьмет, а плохой получает еще удовольствие и от вандализма, — буркнул Володя.

— Строение находится в лесу, рядом никого, на богатый дом совсем не похоже, вполне хватило бы обычных щитов на окнах, — продолжала я, — а здесь прямо неприступный форт. И у кого-то от него есть ключи. Дверь-то не сломали, а Галину увели.

— С большой долей вероятности пленницу забрали не сегодня, — снова влез в беседу Чесноков, — спасибо парню, который не догадался опорожнить ведро-туалет. Можно определить, когда в него последний раз ходили, похоже, что его давно не использовали. Но я могу ошибаться, надо анализ сделать.

Вовка обнял меня.

— Пошли за Кисой. В санатории можно поесть?

— В «Теремке» хороший ресторан, — заверила я.

— Уходите скорей, — велел Сергей, — не путайтесь под ногами.

Мы с Володей двинулись по тропинке.

Костин начал рассуждать вслух:

— Судя по тому, что тебе рассказала Татьяна, Лариса и Галя познакомились с мужчиной, у которого явно были проблемы с психикой. Более разумная Галина не захотела иметь со странным клиентом дела, а Гуркова отчаянно нуждалась в деньгах. Лара уломала Галю Утятину поехать с ней к клиенту. Через некоторое время тело Гурковой находят на дороге, а Галя пропадает. До этого момента ничего странного. Девушки из сферы эскортных услуг... даже элитные, обслуживающие богатых-знаменитых, всегда находятся в зоне риска. Чего греха таить, многие из них занимаются проституцией, а в агентствах делают вид, что не знают о «бизнесе» своих красавиц. Да, работодатель говорит, что тщательно проверяет тех, кто нанимает сопровождение. Но ведь сказать можно все. Юные же красавицы, сливки рынка продажной любви, неплохо зарабатывают и почти начисто лишены благоразумия, полагают, что все вокруг умрут, а они будут жить вечно. У них нет никакой защиты. Хозяева заявляют: «Наши сотрудницы никогда не вступают в интимную связь с клиентами. Они не шлюхи.

На работе ни-ни. А чем занимается девушка в свободное время, нас не касается». Понимаешь? Если красавица, отработав с мужчиной на каком-то вечере, потом, уже во внеслужебное время, едет к нему домой, то сей факт никого не колышет. Оплачивают эскорт-услуги, как правило, обеспеченные, дорого одетые мужики. На мероприятии они демонстрируют воспитание, улыбаются даме, делают комплименты. Кавалеры. Но какими они станут, раздевшись догола? Ну почему ни одна из девочек не спрашивает себя: «Этому во всех отношениях приятному парню, богатому, чиновному, понадобились мои услуги. Почему у него нет жены, любовницы, подруги, коллеги? Хоть какой-нибудь бабы, которая может пойти с красавчиком на мероприятие? В чем проблема? Он ненавидит женщин? Гей, которому необходимо выглядеть натуралом? Патологически стеснителен с обычными девушками, ему легче со шлюхами? Банально изменяет жене? Маньяк? Социопат?» На мой взгляд, нормальный мужик не станет обращаться в агентство, что-то с такими типами не так. Вопрос лишь в масштабах этого «не так». Надо признать, что в большинстве случаев после секса красавица остается жива и довольна оплатой. Но возможны и другие варианты: ее побьют, искалечат, в квартире обнаружится еще пятеро парней, девушку пустят по кругу, не заплатят... Проститутки, которые стоят на дороге или приезжают на дом по вызову, не раз были биты, обмануты, у них убивали подруг, поэтому феи улицы имеют зачатки осторожности и минимальную охрану. К клиенту, который ей внушает опасение, «бабочка» даже в очень дорогую иномарку не сядет. Сутенеры делают фото номеров машин, в которых уехали девушки, а если жрица любви задержалась надолго у мужчины дома, ему позвонят и велят:

— Оплачивай лишние часы или отпускай девку.

Конечно, это не гарантирует ей полную безопасность, но дает понять заказчику, что он под контролем. Я думаю, что Лариса и Галя стали жертвами убийцы.

Володя остановился и открыл машину.

— Никакой информации у меня нет, но я не впервые имею дело с подобным, поэтому пофантазирую. Девушки поехали в Подмосковье. Водитель вел себя любезно, чем-то их угостил: чай, кофе, сок, вино, фрукты... Еда-питье содержали наркотик или сильное снотворное. В Полыново мужик привез своих жертв спящими. И когда девицы очнулись, они уже были связаны, прикованы цепями. Ларису он убил первой. До этого момента у меня не возникло недоумения. Были в моей практике подобные случаи. Не изумило меня и то, что преступник оставил тело жертвы на шоссе. Не все убийцы прячут трупы, кое-кто любит их напоказ выставлять, затевает игры со следствием. Неоригинальная история. Мы имеем дело с парнем, у которого в голове живут жирные мыши, но есть одна странность: почему он не убил Галину? Когда Антон наткнулся на дом с засовами, после смерти Ларисы прошел уже не один день. Почему Утятина осталась в живых? Ее, наверное, худо-бедно кормили.

— Вероятно, Гуркова сопротивлялась, кричала, не желала выполнять требования мерзавца, а Галя оказалась хитрее, подчинилась ему, прикинулась девицей, о которой мечтал преступник, и он ее не тронул, — предположила я, — ты же знаешь о случаях, когда похищенные девушки годами жили в подвалах, тайно рожали своим мучителям детей. Никто из соседей понятия не имел, что рядом с ними мается человек, а милый Ваня из избы, где на пороге лежит его любимая кошечка, на самом деле садист.

— Конечно, я в курсе подобных дел, — согласился Володя, — но есть нюанс. Такие садисты хотят, чтобы их «игрушка» находилась рядом, была доступна в любой момент, когда понадобится. А что у нас? Деревенский дом находится фиг знает где. Даже если похититель живет в Полынове, ему нужно немало времени, чтобы добраться до объекта утех, к избе с запорами прямого подъезда нет. На парковке у входа в зоопарк он машину по понятным причинам не оставит, бросит ее на шоссе. И сколько ему придется идти? Любой маньяк устанет и разозлится, ему влом переть несколько километров, чтобы повеселиться с жертвой. Почему он не поселил свою рабыню рядом?

— Он женат, — нашла я подходящий ответ.

— Серийный убийца Касьянов держал девушек в гараже, куда не разрешал заходить супруге. Так называемый Папаша снял в пяти минутах ходьбы от своей квартиры однушку, где пятнадцать лет прятал украденную им девочку, и никто вокруг ничего дурного не заподозрил, — перечислил Костин. — Могу продолжить этот список. Дальнобойщик Родионов возил бедняг в специально оборудованном отсеке своей фуры, тела выбрасывал в разных регионах России, поэтому двадцать с лишним лет безнаказанно убивал тех, кто сел к нему в кабину. И попался-то случайно. Места захоронений выдавал постепенно, прикидывался, что не помнит, кого где зарыл, понимал: пока он всю информацию не выложит, на «смертную» зону его не отправят, он будет жить в относительно комфортных условиях СИЗО, даже посылки с воли получать.

— Жена должна помогать мужу при любых обстоятельствах, — вздохнула я, — но собирать продукты супругу — сексуальному маньяку... Не каждая на такое готова.

— Родионова баба сразу бросила, уехала с детьми неизвестно куда, — пояснил Костин.

— Бедная его мать, — пожалела я незнакомую женщину, — от сына не уйдешь.

— Дмитрий воспитывался в детдоме, — уточнил Вовка.

— Кто же ему харчи отправлял? — удивилась я.

— Фанатка, — поморщился Костин, — они есть почти у каждого преступника, о котором газеты пишут. Одна из родионовских хотела за него замуж выйти, оформить брак, пока он под следствием, говорила: «Он любовь всей моей жизни».

— Вот дура! — выпалила я.

— Случается такое, — сказал Костин. — Подвожу итог. У нас маньяк. Он убил Гуркову, а Утятину спрятал, чтобы развлекаться с ней. Это одна версия. Вторая. Ларису лишил жизни какой-то клиент. Галина не поехала с Гурковой, она в тот же день отправилась на работу с другим дядей, который ее на цепь в избе посадил. Смерть Гурковой не связана с пропавшей Утятиной.

— Труп Ларисы найден на шоссе неподалеку от Полынова, Антон услышал мольбу о помощи из дома, который расположен в том же районе. Девушки дружили, они вместе встречались со странным человеком по имени Наказид, — перечислила я. — Это позволяет...

— Совпадение, — перебил Костин, — согласись, такое возможно. Приехали.

Я стала выходить из машины и ойкнула.

— Что случилось? — усмехнулся Володя. — В очередной раз потеряла телефон?

— Нет, — прошептала я, — в спине что-то щелкнуло. И теперь очень больно.

— Стареешь, Лампа. Радикулит у тебя, — засмеялся Костин. — Идти можешь?

— Попробую, — еле слышно ответила я.

— Чего таким голосом бормочешь? — спросил приятель.

— Когда громко говорю, больнее делается, — простонала я.

Глава 17

Опираясь на руку Володи, я кое-как доползла до ресепшен.

— Ой-ой, — запричитала администратор, — вас продуло. Перекосило. Скорежило. Не переживайте. Не расстраивайтесь. Смотрите на жизнь оптимистично. Вот, выпейте наш глинтвейн!

Я машинально взяла стакан и опустошила его.

— Госпожа Романова радуется, — перебил девушку за стойкой Костин, — полна ликования от боли. У вас есть врач?

— Конечно, — заверила администратор, — но он заболел гриппом.

— Значит, нет, — резюмировал Вовка.

— Есть! — возразила девица.

— Но на работе отсутствует, — ввязался в глупый спор мой приятель, — следовательно, доктора нет.

— Он есть в штатном расписании. В санатории всегда присутствует терапевт!

— Зовите его немедленно.

— Вадим Львович лежит с температурой.

— Значит, его нет.

— Есть!

Беседа зашла в тупик. Я с трудом подняла голову и посмотрела на бейджик служащей.

— Регина, а массажист на месте?

— Есть, есть, — обрадовалась блондинка. — Угоститесь пока нашим ягодным морсом, я вызову Люду.

Я машинально взяла стакан с темно-красной жидкостью и залпом осушила его. Регина тем временем схватила телефон:

— Анечка, у нас гостью перекосорылило. Нет, спина. И ноги. И руки. И ваще все. На изюм похожа, так ее сморщило.

Костин захихикал, а вот мне было не до смеха, я не могла глубоко вдохнуть, в спину словно несколько острых ножей вонзили. Я вцепилась пальцами в стойку и злилась на Регину, которая никак не могла повесить трубку, самозабвенно описывая, как я выгляжу. От раздражения у меня закружилась голова.

— Хватит! — скомандовал Володя. — Потом потреплешься.

Но Регина продолжала токовать, как глухарь. Костин стукнул кулаком по стойке. Я висела на ней, поэтому взвизгнула. Администратор положила трубку.

— Не нервничайте. Все под контролем.

И тут мимо нас пробежала какая-то женщина. Я почувствовала резкий запах ее духов, в ноздрях защекотало, и я чихнула. В спину вонзилось штук десять дрелей с толстыми сверлами. В глазах потемнело, ноги подломились, я стала падать.

— Куда нам идти? — грозно спросил Костин, подхватывая меня. — Номер кабинета?

— СПА-зона лучшего в стране санатория «Теремок».

— Короче, — гаркнул Вовка, — ты не видишь? Ей плохо!

— Евлампия чудесно выглядит, — проворковала Регина, — намного моложе своего возраста. Вы ее сын? Ведите маму в зону СПА, налево по коридору. Там свой ресепшен.

— Мамуля, — нежно пропел Костин, — хочешь, я отнесу тебя, старушка.

— Сама дойду, — прошипела я, подняла правую ногу и замерла в такой позе.

— Еду, еду, бегу, бегу, — донеслось из коридора, и перед нами возникла очередная девушка, которая толкала перед собой инвалидную коляску. — Где тут бабуля с ишаком?

Я ощутила себя отмщенной.

— Старуха перед вами. Ишак рядом с ней.

— Меня зовут Люся, — представилась незнакомка. — Регина, ты чего? Какая она бабка? Тетка средних лет, небось за тридцатку ей.

Ну согласитесь, быть теткой средних лет лучше, чем дряхлой Бабой-ягой.

— При чем здесь я? — надулась Регина. — В компьютере сказано: Романова, сто три г. г.

— Дурында, — упрекнула коллегу Люся, — это номер апартаментов. «г. г.» не года, а «главный гость», такой статус получают только друзья хозяев. Пора бы уж тебе все выучить. И мало ли что написано! На лицо женщины глянь!

— Сейчас все пластику мутят, — начала оправдываться Регина, — морду пересаживают.

— Жаль, нельзя мозг пересадить, глупый на умный поменять, — ехидно заметила Люся.

— Меня не задевают твои выпады, — гордо заявила Регина.

— Девицы, займитесь наконец больной, а то ишак разозлится и взбрыкнет, — прервал обмен любезностями Вовка. — Люся! Доставьте Евлампию на массаж. Лампа, мы с Кисой пока чем-нибудь займемся. Не волнуйся, я с ней останусь.

— Спасибо, — прошептала я, — не давай ей больше одной конфеты.

— Может, у меня и глупый мозг, но Маргарита Федоровна точно узнает, что ты мужчину ишаком обозвала, — мстительно пообещала Регина.

— Я? — изумилась Люся. — Ишаком? Гостя? Вымой уши!

— Протри язык стеклоочистителем, — не осталась в долгу блондинка, — все слышали, как из твоего рта с губами-ластами вывалилось: «Где тут бабуля с ишаком?»

Люся прищурилась.

— И смешно. И печально. И грустно. И жаль Регину, которая не имеет, как я, прекрасного медицинского образования. Дорогая, ишак — название болезни, для таких, как ты, «прострел» или «ой, продуло вас». Простой народ так говорит, а медики называют ее, как положено, ишак.

Костин расхохотался.

— Ишиас! Люся, вы профессионал!

— Вы правы, я ас! Умелый, — гордо объявила медсестра и споро покатила инвалидную коляску по коридору.

Я изо всех сил старалась не рассмеяться, потому что любое движение или действие причиняло мне боль.

— Кристина Павловна, — заорала Люся, вталкивая меня в кабинет, — больная с ишаком туточки!

Из-за ширмы вышла огромная фигура. Я заорала и чуть не потеряла сознание от острой боли и страха. А вы бы как отреагировали, увидев перед собой бурого медведя в белом халате? Голова зверя с разинутой пастью, в которой сверкали острые клыки, мощные передние лапы с длинными когтями, мохнатые задние, торчащие из-под халата, — все внушало ужас.

Топтыгин забасил:

— Ну-ну, понимаю, больно, сейчас полечим.

— Ну я пошла, — заявила Люся.

— Не надо, — прошептала я, — увезите меня скорей.

— Кристина Павловна хорошая, — запела медсестра, — добрая, ласковая, руки у нее золотые.

— Не так хороша я, как Людмила подхалимничает, — заметила медведица, — но плохого вам не сделаю. Пальцем не трону. Просто посажу в печь!

Зверюга отодвинула ширму, передо мной предстала подставка, на которой испускала пар огромная кастрюля. Я вцепилась в подлокотники кресла и решила дешево свою жизнь не отдавать.

— Нет! Не хочу свариться заживо.

— Там нет воды. Пар создается искусственно, — растолковала тетя-медведь.

Лампа на пару! Диетическое блюдо! Похоже, хищник ведет здоровый образ жизни. Да только мне от этого какая польза? Я попыталась встать, но ноги не захотели подчиниться своей хозяйке.

— Медведь прекрасный специалист, — уговаривала меня Люся.

Я вздрогнула. В первую минуту увидев оскал чудовища в белом халате, я впала в ужас. Потом страх слегка померк. Возникла мысль: ни один Михайло Потапович не умеет разговаривать по-человечески, и диплома массажиста ему никогда не получить. Денек выдался нервный, вид комнаты, в которой держали пленницу, сильно меня напугал, резкая боль в спине тоже не способствует логическому мышлению, да и не обладаю я сим талантом в полной мере. Усталость, страх, боль — все цветочки сложились в один букет и принесли на редкость ядовитые ягодки, мне на короткое время показалось, что в комнате находится настоящий зверь. Но потом разум вернулся в мою голову, мне стало понятно: массажист зачем-то надела карнавальный костюм.

Не успела я с облегчением выдохнуть, как Люся сказала: «Медведь прекрасный специалист», и снова мне стало жутко. На голову словно шапку нахлобучили, перед глазами затряслась серая марля, стало плохо видно окружающий мир, а слышала я как сквозь вату.

— Доверьтесь мне, — гудела зверюга в белом халате.

Я, забыв о всех правилах приличия, показала на нее пальцем:

— Люся, кто это?

— Массажист медведь, — ответила медсестра.

— Медведь? — переспросила я.

— Ну да, медведь, — подтвердила девушка.

— Меня зовут Кристина Павловна, — представилась зверюга, — а вы Евлампия. Не ошибаюсь?

Оцените мое мужество, у меня хватило сил кивнуть.

— «Теремок» очень долго заманивал к себе медведя, — затараторила Люся, — она мегапрофи, училась в цирке, всем там кости разминала.

Я вжалась в кресло. Ну да. А где еще четверолапый костоправ мог получить образование? В мединститут его не примут. Балаган самое подходящее место. Небось Кристине Павловне тонкости массажа преподавали сами братья Запашные. Видела пару раз по телевизору, как работают Эдгард и Аскольд, они очень талантливые, позитивные мужчины. Красивые и умные. Если медведица их ученица, то она точно хороший специалист. Меня перестала удивлять человеческая речь Кристины, Запашные и не такому научить могут, да у них даже я запою, как Нетребко. Но, несмотря на мою нежную любовь к легендарной семье Запашных, я не хочу, чтобы мне вправляли спину мохнатые лапы с острыми когтями.

— Вы же больше не боитесь? — спросил монстр, взял огромную деревянную лопату, опустил ее в кастрюлю и начал делать круговые движения.

Из емкости повалили клубы пара.

— Поможем вам раздеться, — пропела Люся.

Я чуть не потеряла сознание от ужаса, но тут ко мне вернулся дар речи:

— Нет!

— Ну вот, — вздохнула медведица, — а я не успела пообедать. Надеялась хоть плотно поужинать.

Мой желудок превратился в ледяной ком и упал в колени. Господи! Меня точно хотят сожрать.

— Душенька, лапонька, — запела Люся, — вам станет хорошо, приятно. Поверьте, на этом приборе заканчиваются все проблемы. Они там просто пропариваются. Правда, Кристина Павловна?

— Люся верно утверждает, — закивало лохматое чудище, — печка — лучшее избавление от стресса, нервного возбуждения, усталости, тоски. Метания закончатся, страсти утихнут. Наступит благостная тишина. Понимаете?

Я судорожно кивала. Если меня приготовить на пару, а потом сожрать, то все мои проблемы исчезнут вместе с моим телом. Это правда. Тут не поспоришь.

— Славненько! — обрадовалась мадам Топтыгина. — Умница. Сейчас пропаримся. И мы с Люсей через полчаса можем ужинать.

Медсестра облизнулась.

— Я голодна до жути. Возьму себе ножку! Или грудку!

— Я вешу сорок пять кило, — жалобно пискнула я, — у меня одни кости.

— Выглядите аппетитно, — заулыбалась Люся, — не изможденная, не скелет.

— Да, да, — подхватила Кристина, — на результат пропаривания количество вашего жира не влияет. После того как печка отключится, можно вас маслом помазать.

— С маслицем прекрасно, — обрадовалась Люся. — Восхитительно. Аромат! М-м-м!

— А мне так и не удалось с маслицем попробовать, — расстроилась медведица. — Ну, давайте. Евлампия, я сниму с вас кофточку.

— Стойте, я душ не принимала. Нельзя грязной лезть в печку, — пролепетала я.

— Можно, можно, — хором возразили Люся и Кристина.

— У вас руки немытые, — пропищала я, — не смейте меня ими лапать.

— Охо-хо, — вздохнула медведица, — желание клиента закон. Давай, Люся, дуй к раковине. Сейчас вернемся. Не скучайте, госпожа

Романова, кран с водой у нас находится в соседнем помещении.

— Не торопитесь, я никуда не денусь, пошевелиться не могу, — бойко отрапортовала я.

Не успели медсестра с медведем исчезнуть за узкой дверцей в стене, как я схватилась ладонями за колеса, вмиг выехала в коридор и покатила по нему с воплем:

— Вова! Костин! Спаси!

Галерея показалась мне бесконечной, руки начали уставать.

— Вам помочь? — спросил за спиной нежный голосок.

Я обернулась и увидела вблизи инвалидной коляски серую волчицу в голубой пижаме хирурга.

— Почему вы одна? — удивился хищник. — Куда так торопитесь?

С громким воплем:

— Володя! Меня сейчас санитар леса сожрет, — я выскочила из кресла, полетела вперед, миновала ресепшен...

При виде меня Регина стала размахивать руками, что-то говорить, но я не услышала ни звука, не остановилась, выбежала во двор, увидела вдалеке у забора Костина, который беседовал с кем-то по телефону, и со всех ног бросилась к нему. Добежать до Вовки мне не удалось, ноги разъехались в разные стороны, я упала на живот. Раздался громкий треск, в ту же секунду жуткая боль скрючила спину и кто-то накрыл меня с головой одеялом.

Глава 18

В нос проник аромат шоколада.

— Эй, открой глазки, — произнес Костин.

Я разлепила веки.

— Евлампия Андреевна, дорогая, — зачирикала Лиза, — ох, и напугали вы нас!

— Сердце перевернулось, — добавила Маргарита.

Я села.

— Здравствуйте.

— Очнулась, — констатировал Костин и сделал глоток из чашки, которую держал в руках.

— Кто или что вас напугало? — поинтересовалась Лиза.

— Расскажите скорей, — попросила ее свекровь, — мы немедленно примем меры.

— Уволим каждого, кто посмел довести вас до обморока, — заверила Елизавета.

— Медведь, — выдохнула я.

— Кристина Павловна? — изумилась Маргарита. — Да она милейший человек.

— Человек? — повторила я. — А почему Люся ее называла медведем?

Елизавета укоризненно цокнула языком.

— Людмиле не хватает должного воспитания. Неприлично обращаться к людям по фамилии.

Я заморгала:

— Медведь это фамилия?

— Да, — подтвердила Маргарита Федоровна, — Кристина Павловна. Массажист, физио-

терапевт. Уникальный специалист. Десять лет
работала в цирке, представляете, какие там
нагрузки, травмы? Великая школа! Медсестра
поступила невежливо, но почему вы запанико-
вали?

— Они хотели меня посадить в печку, пропа-
рить и маслом потом помазать, — пожаловалась я.

Маргарита Федоровна улыбнулась.

— У нас прекрасная аппаратура, в СПА но-
вейшее оборудование. В «Теремок» из Москвы
на разные процедуры народ приезжает. Инфра-
красная печь, имитирующая русскую паровую
баньку-бочку, одно из последних наших приоб-
ретений.

— Эффект потрясающий, — заверила Лиза, — кожа потом как у младенца. Отлично помогает при радикулите. А если маслицем аро-
матическим потом намазаться! М-м-м! Восторг.

— Они жаловались на голод, — прошептала
я. — Медведь очень страшная, лапы с когтями.
А Люся все время твердила, что не поела как
следует. Вот они меня пропарят и поужинают.
Слопают ножку, грудку...

— Огромная проблема найти хорошую медсестру, — пожаловалась Маргарита, — увы,
приходится брать то, что пришло. Я катего-
рически запрещу Людмиле сообщать гостям
о своих проблемах. Не пообедала? Терпи. Почему вы испугались?

Я молчала. Признаться, что я приняла доктора за настоящую медведицу, а Люсю за ее по-
мощницу-каннибалку? Никогда!

Костин расхохотался.

— Лампа решила, что ее сейчас сварят заживо и сожрут! Ой, не могу!

Маргарита и Елизавета вытаращили глаза и хором повторили:

— Сожрут?

— А вы бы что подумали? — начала отбиваться я. — Привезли в кабинет, там медведиха, то есть медведица... А по коридору волчица шла! Зачем медики носят такие костюмы?

— Санаторий называется «Теремок», — пустилась в объяснения Лиза. — А кто-кто в нем живет?

— Колобок, — бойко ответил Вовка.

— Говорящая булка из другой сказки, — возразила я.

— У нас масса клиентов с детьми, — продолжала Елизавета, — малыши побаиваются людей в белых халатах. Да я и сама их опасаюсь, знаю, каких специалистов медвузы выпускают. Пятку от локтя не отличат.

— Чтобы дети не впадали в истерику, врачи ведут прием в образе животных, — перебила ее Маргарита, — да и многим взрослым это нравится.

Костин стал хохотать еще громче.

— Печка, медведь, сетование на голод, волчица в коридоре. О несчастная Лампа!

— Мы и помыслить не могли, что кто-то примет Кристину Павловну за живого медведя, — пробормотала Маргарита, — издали видно, что морда, лапы — все это костюм.

Я потерла глаза кулаками.

— У меня голова кружится и словно шапка на макушке сидит.

— Надо померить давление, — засуетилась Лиза.

— А еще лучше к доктору поехать, — посоветовала Маргарита, — к хорошему кардиологу. У нас прекрасные врачи, но необходимой диагностической аппаратуры нет.

— Я никогда не жаловалась на сердце, — возразила я, — недавно проходила обследование, никаких отклонений не нашли. Просто понервничала.

— Любая беда начинается внезапно, — вздохнула Маргарита, — все под Богом ходим. Сегодня жив, а завтра нет.

— Давай, правда, скатаешься в клинику, — встал на сторону дам Костин, — свожу тебя туда-обратно.

— Вечер на дворе, — сопротивлялась я.

— Тем более, — всплеснула руками Лиза, — вроде здоровенькой ложитесь спать, да всякие бяки с людьми, как правило, в предрассветный час случаются. В четыре-пять самый пик инсультов-инфарктов.

Маргарита кашлянула.

— Не хочу ни в кого бросать камни, но в Полынове не самый лучший медцентр, а «Скорая» оттуда прикатит. Лучше ехать в Москву. Врач, у которого хорошая аппаратура, увидит инфаркт в самой начальной стадии и сможет остановить его развитие. Лучше перебдеть, чем недобдеть.

— Лампудель, иди в машину, — приказал Вовка и вынул из кармана телефон: — Слушаю. Интересно. Сейчас перезвоню.

— Меня не будет несколько часов, — протянула я. — Киса самостоятельная девочка, она спокойно остается дома одна. Но на ночь мы ее никогда не покидаем. А если вынуждены с мужем задержаться на службе, с малышкой всегда находится няня. Кисуля может испугаться. Нет, со мной все в порядке.

— Наверное, вы видели Анфису Ивановну? — осторожно поинтересовалась Лиза.

— Мать Вероники? — уточнила я.

— Да, — кивнула Королева, — она не упускает возможности появляться перед посетителями зоопарка, когда те чай в избушке пьют.

Я улыбнулась.

— Успела с ней познакомиться и от души пожалела дочь пожилой дамы.

Маргарита горестно вздохнула.

— Старческая деменция. Тяжелое испытание для родственников больного. Не все выдерживают контакт с психически нестабильным человеком.

— Анфиса Ивановна тронулась умом, — продолжала Лиза, — но физически была здорова на зависть многим. Казалась здоровее слона.

Меня царапнуло беспокойство.

— Была? Казалась? Вы употребили глаголы в прошедшем времени.

Елизавета опустила глаза.

— Ночью она скончалась. Говорят, пошла в туалет, дверь заклинило, открыть ее она не смогла, испугалась. Много ли пожилой даме надо? Инфаркт. Нельзя доверять своим ощущениям. Лучше вам к доктору съездить.

— Как назло, трагедия произошла ночью, — сказала Маргарита. — Вероника и Леша спали в своей комнате, наверное, не слышали криков снизу. А может, Анфиса тихо умерла. У нас точной информации нет.

Я чихнула раз, другой, третий...

— Эй, ты заболела! — встрепенулся Володя. — Грипп! Поэтому и голова плохая.

Я провела ладонью по лицу.

— Меня перед визитом к массажисту угостили... апчхи... морсом!

— Это безалкогольный глинтвейн, — уточнила Маргарита, — нечто вроде компота со специями. Он у нас постоянно здесь стоит, очень всем нравится.

— Сейчас его нет, — отметила я, — апчхи.

— Напиток закончился, скоро новый принесут, — пообещала Лиза. — Хотите?

— Апчхи... спасибо, нет, — отказалась я, — возможно, на кухне в емкость с глинтвейном без алкоголя подлили спиртное.

— Это исключено! — отрезала Маргарита. — У нас здесь дети!

— Невозможно, — вторила ей невестка.

Я снова чихнула. Костин вскинул брови:

— Маргарита Федоровна, понимаю, вы не спаиваете малышей, но настоятельно рекомендую... Хотя... секундочку...

Володя быстро вышел.

— В нашем глинтвейне нет водки, коньяка и чего-то подобного, — возмутилась Елизавета. — Почему вам столь странная мысль в голову пришла?

Раздались быстрые шаги, появился Костин с небольшой коробочкой.

— Лампудель, давай! — сказал он, протягивая мне алкометр.

Я живо дунула в отверстие в крышке, Володя глянул на прибор.

— Опаньки! Понятно, почему госпожа Романова вела себя столь глупо. Ясно теперь, и по какой причине она испугалась врача в карнавальном костюме, приняв его за настоящего медведя. Евлампия Андреевна, вы пьяная фея.

— Не может быть! — ахнула Маргарита.

Костин убрал тест в карман.

— Лампа принадлежит к малочисленной группе людей, у которых в желудке отсутствует какой-то фермент. В свое время мне наш эксперт подробно проблему описал, да я все умные названия забыл. Нормальный человек опрокинет бокал, второй, третий и постепенно окосеет. С Евлампией получается иначе. Отсутствие фермента плюс вес пятьдесят кило делают ее пьяной от чайной ложки спиртосодержащего напитка. Все равно какого: вино, коньяк, водка, ликер. Лампа косеет даже от кефира, потому что сей кисломолочный напиток обладает градусами. Госпоже Романовой можно принимать спиртное в количестве двух капель через нос или глаз. Тогда у нее есть крохотный шанс не превратиться в веселого поросенка. Если в организм жены моего босса Макса таки попадает малая толика горячительного, то мы получаем эффект, который имеем сегодня. Вскоре после того, как глоток красного, белого или бесцветного опустился в желудок, у Евлампии начинает кружиться голова, потом на макушке возникает «шапка». Одновременно Лампа принимается щуриться, у нее перед глазами словно серая марля трясется. Все это случается за пять-десять минут. Затем у девицы-красавицы возникает ощущение, что она как будто во сне. Есть и хорошая новость. Это состояние длится недолго. Минут через тридцать-сорок все проходит, на Евлампию нападает головная боль, она принимается тереть глаза, засыпает на мгновение, потом выныривает из забвения, и следует завершающая фаза — безудержное чихание. Я правильно описал ситуацию?

— Апчхи! Да! — ответила я. — Сначала я вздрогнула, увидев в кабинете медведя, потом подумала, что это человек в костюме. И тут спиртное окончательно затуманило мозг. Но мне в голову не пришло, что я пьянею, я же ничего не пила. Не догадалась подумать про глинтвейн. Обычно я ощущаю запах спирта, его вкус. Но сегодня все забил аромат корицы-гвоздики, еще каких-то ярких специй. Не надо мне к врачу. Я совершенно здорова. Сейчас выпью крепкого чая и перестану... апчхи... чихать.

Маргарита схватилась за голову:

— Алкоголь в детском напитке! Ужас! Как он туда попал?

— Кто-то налил, — резонно заметила Лиза, — у нас банкет в сиреневом зале. Устроители заказали глинтвейн. Возможно, официант перепутал одну чашу, на праздник принес детский напиток, а нам...

— Боже! — воскликнула Маргарита, и они с Елизаветой убежали.

— День, полный событий, — пробормотала я.

Костин засмеялся.

— Отлично, сейчас закажем чай в номер. Поговорить надо.

— Только сначала Кису в кровать уложу, — предупредила я.

Глава 19

— Фил нашел много интересного по Гурковой, — начал Володя, сев в кресло, — Татьяна, сестра Галины, не все знает. Ларису нашли на шоссе неподалеку от того места, где мы сейчас с тобой находимся. И ее труп сильно озадачил следователя Родиона Валерьевича Колыванова. Родя мой приятель еще с тех времен, когда я служил в милиции. Умный мужик, цепкий, сделал отличную карьеру, получил второе высшее психологическое образование. Ерундой не занимается, сфера его интересов серийные маньяки. Пару лет назад в руки Колыванова попал мужик, который закопал у себя на огороде труп, его чисто случайно нашли. Некоего Илью

Нестерова взяли за грабежи, перекопали огород в деревне у его матери, нашли стеклянные трехлитровые банки, набитые золотыми украшениями и... останки женщины.

Местные полицейские живо сообразили, что им самим не справиться, и к работе подключился Родион.

Нестеров бил себя в грудь, чуть ли не плача говорил:

— Не трогал я бабу. Век воли не видать, коли вру.

— И рад бы поверить тебе, парень, да не получается, — возразил Колыванов. — Попробуй объяснить: как к тебе, белому-пушистому, трупешник на огород прилетел. Кто его там заныкал?

— Я, — признался Нестеров.

— Ну, мил человек, — развел руками Колыванов, — и чего теперь с тобой делать? Говори правду.

— Вы не поверите, — захныкал Илья.

— Начинай, — скомандовал Родион и услышал интереснейшую историю.

Илюша мастер грабить людей. Симпатичный внешне юноша выискивает в барах дорого одетую одинокую женщину в возрасте от тридцати пяти и выше, затевает с ней беседу. Если разговор заруливает в нужную сторону, красавчик предлагает поехать к нему, молодому богатому бизнесмену, чтобы полюбоваться на прекрасную коллекцию картин.

Илья хорошо одет, у него правильная речь. Выражений вроде «век воли не видать» он на работе не употребляет, у него дорогая машина, обаятельная улыбка, он привлекателен внешне, пахнет модным парфюмом. Многие дамы, окинув Нестерова взглядом, начинают призывно улыбаться. Если рыбка заглотила крючок и готова смотреть пейзажи-портреты, Илюша заказывает на посошок коктейль и незаметно подливает неразумной бабенке капельки. Лекарство без вкуса, запаха, цвета, но оно живо дает нужный эффект. Пара выходит на парковку, отъезжает от трактира-клуба-гостиницы, и вскоре жертва крепко засыпает. Нестеров снимает с нее драгоценности, часы, платье, обувь, забирает сумку, усаживает раздетую до нижнего белья красавицу на скамеечку в парке, закрывает ее новым флисовым одеялом и сматывается. Не стоит считать использование пледа нежной заботой. Илья прекрасно понимает: воровство и убийство — разные статьи. Он не желает, чтобы его жертва умерла от воспаления легких. Спасибо, не надо. По этой же причине Нестеров промышляет только в теплые месяцы. А если льет дождь, он предусмотрительно отнесет спящую красавицу в подземный переход.

Некоторое время назад Илья, спрятав иномарку, которой пользовался только для «работы» и держал в гараже далеко от своей квартиры, мирно ехал домой на другом автомобиле. Парень пребывал в чудесном настроении. Сегодня ему попался жирный улов, на очередной бабенке была тонна дорогой ювелирки, в кошельке лежали платиновые кредитки и листочек с пин-кодами. Вознося хвалу человеческой глупости, Нестеров живо очистил счет и теперь полнился радостью.

И тут раздался звонок с телефона доктора, который лечил его мать. Неделю назад ее госпитализировали. Часы показывали четыре утра. Понимаете, о чем подумал парень? У матери случился второй инфаркт.

— Илья, — произнес Михаил Аркадьевич, — немедленно езжай на улицу Воркина, дом пять, квартира восемнадцать. Дверь не заперта. Найдешь там женщину. Положи ее на Ленинском проспекте, неподалеку от метро «Октябрьская».

В трубке что-то гудело, создавалось впечатление, что работает миксер или фен.

— Не понял, — заорал Илья, — очень плохо слышно!

Врач повторил, его голос еле-еле пробивался сквозь шум.

— За фигом это делать? — изумился разбойник.

— Затем, чтобы полиция от меня не узнала о твоем хобби, — объяснил доктор. — Сейчас ты откуда едешь? Чужой кошелек карман не жжет? Или выполняешь, что я велел, или завтра окажешься за решеткой. Иного выбора нет.

Воры, как правило, наглы, но трусливы. Илья вмиг вспотел, он не мог сообразить, откуда врач узнал о его «хобби»?

— И как я ее из хаты уберу? — спросил он. — Она визг подымет.

— Промолчит, — коротко сказал кардиолог, — давай, вперед. Или делаешь, что велено, или садишься надолго.

Илья поехал по адресу, вошел в однушку. И его стошнило. В кресле он обнаружил труп женщины, сразу стало ясно: ее жестоко пытали. Трясясь от страха, Нестеров разрезал веревки, упаковал беднягу в занавеску, которую сорвал в ванной, отнес в автомобиль, запихнул в багажник и поехал в деревню, где у него был дом. Илью колотило в ознобе. Внимательный, приветливый кардиолог Михаил Аркадьевич оказался сумасшедшим. Здоровый психически человек никогда ничего подобного не сотворит. Оставить труп на проспекте? Ага! Нашел дурака! Там полно магазинов, во всех на улице при входе видеокамеры. Илюша не намерен засветиться в муниципальном «кино». Своих «спящих красавиц» он всегда устраивает в местах, где нет наблюдения.

Закопав несчастную на огороде, Илья приехал домой, рухнул спать, но не успел он закрыть глаза, как позвонила мама, она закричала:

— Немедленно забери меня отсюда. Вместо Михаила Аркадьевича пришел новый врач, который мне совсем не нравится.

Нестеров подумал, что кардиолог попался полицейским, очень скоро те узнают, кто труп прятал, стартует беда, и запаниковал:

— Куда твой прежний доктор подевался?

— Ему вчера плохо стало, — объяснила мать, — в обед его положили здесь в реанимацию. Сам людей лечит и сам же инфаркт заработал.

— Так он не мог мне ночью звонить! — вырвалось у Ильи.

— Не пори чушь, — рассердилась мать, — бедному Михаилу Аркадьевичу совсем плохо, говорят, он не выживет. Не хочу здесь оставаться! Увези меня домой. Нашу палату отдали противному мужику, который с больными вообще не разговаривает.

Вот и вся история.

Нестерову оставалось лишь гадать, кто его отправил за трупом? Но единственное, до чего он додумался, это то, что таинственный мужик нарочно включил некий бытовой прибор, типа фена, чтобы Илья не опознал его голос. Зря он старался. Парень всего раз беседовал с врачом в тот день, когда привез мать. Илья нервничал, боялся, что она умрет, он совсем не помнил голос эскулапа.

История звучала фантастично, но Родион в нее поверил. Почему? Илья психически нормален, пытать кого-либо не его конек, Нестеров очень боялся оказаться на зоне, поэтому он заботливо укрывал ограбленных женщин. И убить человека совсем не просто. Для того чтобы решиться на этот шаг, нужно иметь определенный тип личности или впасть в невменяемое состояние. Но эксперт, который работал с трупом, заявил сразу:

— Преступник долго мучил несчастную. Ни о каком аффекте речи быть не может.

С Нестеровым поговорил психолог и дал заключение: Илья может украсть все, что плохо или хорошо лежит, он болтун, легко уговорит женщину на что угодно и не станет мучиться совестью, выдергивая из ушей очередной спящей девушки сережки или стаскивая с ее пальца помолвочное колечко. Но лишить кого-то жизни Илья побоится, и он не садист.

Колыванов, несколько раз пообщавшись с вором, и сам это понял. У него появилась масса вопросов. При убитой женщине не было документов, определить ее личность не смогли. Квартира на улице Воркина принадлежала предприимчивой Ольге Викторовне Нефедовой. Дама являлась владелицей десяти апартаментов в столице, девять из них она сдавала. Большая часть жилья имела долгосрочных арендаторов. А вот однушка на Воркина предоставлялась на сутки. Имен «одноразовых» квартирантов Ольга не спрашивала. Тот, кто хотел занять хибарку на сутки, всовывал в банкомат свою кредитку — и, опля, счет Нефедовой пополнялся. Когда Ольга получала платеж, она сбрасывала клиенту код замка. Дверь запиралась с помощью электронного сторожа. Некоторые съемщики не имеют карточек, тогда они суют купюры в прорезь банкомата. Тот, кто последним снял квартиру, так и сделал... Колыванов отсмотрел запись видеокамеры банкомата и узнал, что однушку арендовала Мария Филиппова, она сначала сняла деньги со счета, а потом ввела в терминал купюры, которые отправила Нефедовой. Родион понесся по следу резвее борзой, сведения о Филипповой он раздобыл быстро. Женщина объяснила, что к ней неподалеку от автомата подошел интеллигентный мужчина с бородой, в очках и смущенно сказал: «Помогите, пожалуйста. Хочу положить деньги на карту, да не могу. У меня болезнь Паркинсона. Руки очень сильно дрожат, никак в прорезь не попадаю. Можете вместо меня счет пополнить?» Если бы прохожий просил дать ему энную сумму, телефон, чтобы позвонить, то Мария ответила бы ему: «Нет». Но человек вручил ей деньги. И где обман? Филиппова выполнила просьбу больного. Все, конец истории. Полный аут.

Родиону пришлось смириться с тем, что он не узнает имени преступника. Он стал задавать себе другие вопросы. Кто звонил Илье? Откуда преступник узнал номер Нестерова и то, чем занимается парень?

В больницу, где лежала мать вора, отправили оперативников. Они выяснили, что Михаилу Аркадьевичу стало плохо в буфете. Доктора немедленно унесли в реанимацию. Куда делся его мобильный? На этот вопрос ответа не было. В вещах врача трубку не обнаружили. Ординаторская никогда не запирается, в комнате то густо, то пусто, иногда за столом собираются шесть-восемь врачей, но подчас никого нет. Случаев воровства на этаже не было, все расслабились, запирали только шкафы с лекарствами. По словам коллег, кардиолог всегда носил телефон в кармане халата. Возникло предположение, что сотовый просто выпал, когда Зальца транспортировали в реанимацию, а кто-то этим воспользовался. Кто? Ответа не нашлось.

Прошло несколько месяцев, и на шоссе неподалеку от Москвы нашли изуродованное тело женщины. На груди у нее была табличка «Наказана». Имя жертвы не сразу, но смогли определить: Матрена Петровна Фишкина, тридцати восьми лет, журналист, вдова. Муж — Николай Олегович Фишкин, учитель математики, скончался от инфаркта. Умер он в той же клинике, где лечилась мать Ильи.

Родион Валерьевич опросил знакомых Фишкиных, но ничего интересного не узнал. Обычные люди, она пописывала статейки в мало кому известных изданиях, он преподавал в вузе. Фишкины ни с кем особо не дружили, но и не ссорились, врагов не нажили, высоких постов не занимали, вели скромный быт. Родственников не имели, детей им тоже Господь не послал. Ни кошки, ни собаки у них не было. Аккуратная маленькая квартирка. Из необычного, отличающего ее от других, у жены было только имя — Матрена. Почему заурядная женщина стала объектом нападения садиста-психопата, Колыванов не понимал. Но он не сдавался и в конце концов нашел человека, который хорошо знал, что происходило в семье.

Девятнадцатилетняя студентка Роза Караева из Орла три раза в неделю приходила наводить порядок в квартире Фишкиных. Платили ей мало, но кормили, а для нищей второкурсницы пообедать-поужинать было очень важно. Роза сообщила, что Матрена отличалась на редкость злобным характером, постоянно орала на мужа, на нее, распускала руки. Николай Олегович — был полной противоположностью скандалистки, тихий, спокойный, никогда не спорил с женой. Неконфликтность супруга всегда вызывала у Матрены приступы ярости. В конце концов Фишкин заработал инфаркт, но врачи поставили его на ноги. Николай вернулся домой, где снова стал объектом нападок жены. Несмотря на то что доктор строго предупредил ее: мужу необходим покой, ему ни в коем случае нельзя нервничать, Матрена набрасывалась на Николая с кулаками, избивала бедолагу. Второй инфаркт не замедлил себя ждать, но на этот раз кардиологи оказались бессильны.

После кончины Фишкина Роза ушла от Матрены. Расставание прошло не мирно. Хозяйка, узнав, что прислуга ее покидает, сначала кинула в девушку табуретку, потом, схватив тяжелую сковородку, ринулась на студентку. Караева оказалась проворной, выскочила из квартиры и удрала.

Учитывая табличку «Наказана», Родионов предположил, что среди знакомых Фишкиных есть психически нездоровый человек. Он знал о ненормальной обстановке в семье, жалел Николая и решил покарать Матрену.

Родион проделал большую работу, опросил много народа, выяснил, что Николая любили ученики, их родители, коллеги. Но никто из посторонних ничего не знал о семейной жизни покойного и не попал под подозрение. Дело тихо превратилось в висяк.

Глава 20

Спустя некоторое время на одном из московских шоссе на обочине обнаружили труп девушки со следами жестоких пыток. На нем лежала записка: «Наказана». Личность убитой установили быстро: Олеся Леонидовна Николаева, двадцати восьми лет, москвичка, жена Валерия Сергеевича, дизайнера сумок. Николаев шил по заказам клиентов сказочно красивые сумки, его работы отличались дорогими материалами, эксклюзивной фурнитурой, великолепным качеством. Почему же его изделия не появлялись на мировых подиумах и не блистали на куда более скромных московских неделях моды? Ответ прост: молодой человек создавал фейки. Заказчица показывала фото баснословно дорогого клатча от всемирно известного бренда и просила сделать ей копию. Валерий брался за работу, и в кратчайший срок модница получала желаемое. «Родное» изделие стоило немереных денег в валюте, Николаев дороже ста пятидесяти тысяч рублей за свои творения не просил. Догадываетесь, что все его клиентки отнюдь не бедные девочки? Как правило, это были любовницы богатых мужчин, которые не готовы удовлетворять все капризы временной бабы. Жене или дочери они купят дорогой аксессуар, а для очередной пассии пожалеют денег. О находке на шоссе пронюхала желтая пресса, об изуродованном трупе Олеси написали разные издания. Это была уже вторая личная трагедия мастера за год. Не так давно он лишился и матери, Наталья Николаевна перенесла инсульт и слегка помутилась умом. Физическую активность она сохранила, а вот разум потеряла, превратилась в трехлетнего ребенка. Сын нанял дневную сиделку, перевез мать в свою квартиру. Олесе пришлось по ночам вставать к свекрови, потому что та снимала памперсы, пачкала постель. Могла за полночь вскочить и начать бить все, что попадет под руку. Тяжело с такой больной, Олеся здорово уставала и стала просить мужа хоть на время отправить свекровь в специализированное учреждение. Но Валерий отвечал:

— Никогда не брошу маму.

— Вот и ухаживай за ней сам, красивые заявления о любви делаешь, а по ночам-то дрыхнешь, я грязь убираю, — крикнула во время очередной ссоры жена, разозлилась, убежала из дома и осталась ночевать у подруги.

Утром Олеся вернулась в квартиру и увидела, что ни супруга, ни свекрови нет. Николаева обрадовалась, она решила, что скандал возымел действие. Сын повез Наталью Николаевну в пансионат.

Но вскоре выяснилась правда. Вечером Валерий, как всегда, крепко заснул. А утром обнаружил мать едва живой. Пока сын пребывал в объятиях Морфея, Наталья Николаевна пошла бродить по квартире, открыла аптечку и съела массу таблеток. Еле-еле бедолагу откачали. Николаев был морально раздавлен, плакал, просил у супруги прощения, каялся: «Я взвалил на тебя заботу о своей матери, а сам дрых. Из-за собственной лени чуть сиротой не остался». Жена снова принялась ухаживать за свекровью, но та вскоре умерла от очередного инсульта. И вот теперь Олесю жестоко убили. Даже циничные газетчики не стали злорадствовать на ее похоронах.

Колыванов понял, что у него серийный маньяк. Убийства Николаевой и Фишкиной мало чем отличались друг от друга: табличка, пытки, веревка... Колыванов начал искать связь между Олесей и Матреной, но у женщин не было ничего общего: фитнес-зал, СПА-салон, кафе, работа, подруги — все разное. Но Родион понимал: связь определенно есть, просто он ее пока не обнаружил. В процессе поисков убийцы Олеси следователь нашел того, кто отравил Наталью Николаевну. Вера Груздева, лучшая подруга Олеси, у которой та спала на диване в гостиной, когда ушла из дома, рассказала следователю, что ночью видела, как Николаева вылезает в окно. Квартира Веры расположена на первом этаже блочного дома, поэтому никаких трудностей Олеся не испытала.

Утром Вера, не справившись с любопытством, поинтересовалась:

— Куда ты после полуночи шастала?

— Тебе показалось, — твердо ответила Олеся.

Вера обиделась и решила более никогда не помогать Олесе. Между лучшими подругами не должно быть тайн. На следующий день после поминок свекрови Николаева заявилась к Груздевой с бутылкой и предложила:

— Давай выпьем за упокой сумасшедшей Наташки.

На втором бокале Вера заметила:

— Наконец-то Наталья Николаевна тебя в покое оставила.

Олеся расхохоталась, вытащила из пакета еще одну бутылку, окончательно окосела и выболтала правду. Да, она вылезала в окно, знала, что Вера крепко спит и не заметит отсутствия гостьи. Олеся вернулась домой в уверенности, что супруг храпит. А разбудить Валерия и пушка не смогла бы. Жена взяла в аптечке сильнодействующее снотворное, развела некоторое количество в воде, растолкала свекровь, напоила и ушла к подруге, не забыв устроить беспорядок. Она расшвыряла всю аптечку, раскидала коробочки из-под пилюль, содержимое вытряхнула на пол, разлила капли... Ни Валерий, ни врачи не усомнились, что Наталья Николаевна сама набезобразничала, наелась медикаментов, пока сын безмятежно спал.

— Хотела показать ему, что случается, если ночью о мамашке не заботишься, — смеялась

Олеся. — Да и Наташке лучше было умереть, сама не живет и другим не дает. Валерке полезно чувствовать себя виноватым, а то он на меня вечно Полкана спускает. То его драгоценная мамочка лбом о спинку кровати треснулась, то зубную пасту съела, то схватила горячую крышку от кастрюли и обожглась. Я думала, что Наташка точно тю-тю! Но ее откачали. Нет, это как? Нормальных людей спасти не могут, а тех, кому в гроб пора, на щелчок вылечивают. Ну ничего! Теперь она далеко и навсегда уехала! Гуд-бай, бабка, не возвращайся.

Вера вытаращила глаза:

— Ты ее убила!

— Не, она плохая совсем была после таблеток, — пьяно захихикала Олеся, — недолго куковала.

Родион решил, что Олеся где-то еще приняла спиртное и изложила историю кончины свекрови не только лучшей подруге, но и другому человеку, а тот решил ее наказать.

Преступника следовало искать среди знакомых Олеси.

Колыванов начал копаться в ее телефонной книжке, и тут его осенило! Свекровь Николаевой лежала в той же клинике, где лечилась мать грабителя Ильи. Вот только врачи у них оказались разные. Мать Нестерова лечил Михаил Аркадьевич Зальц, он умер вскоре после того, как женщина выписалась. А Наталья Николаевна с первым инсультом была под наблюдением Валентина Львовича Бракова. Выпив много снотворного, она попала сначала в токсикологию, а затем к тому же кардиологу.

Колыванов, как бигль, ринулся по следу и вмиг увидел, что мужа Матрены Фишкиной успешно вылечил от инфаркта... Валентин Львович. Он же пытался спасти бедного мужчину и во второй раз, но не получилось. Матрена и Олеся имели похожие ранения.

Колыванов стал пристально изучать личность кардиолога, собрал о нем много информации и понял: круг замкнулся. Родион побеседовал с матерью Нестерова, та призналась, что доктор Зальц вызвал для консультации Бракова. А Валентин потребовал честно рассказать, по какой причине дама так сильно нервничала, что у нее сердце не выдержало. Конкретно заявил: «Говорите, иначе я вам не помогу», и она сообщила врачу: первый инфаркт ее хватил, когда она случайно узнала, что сын грабит женщин. Но ведь не сдавать же кровиночку в полицию?! Валентин Львович мог взять телефон Михаила Аркадьевича и сделать с него звонок Илье. Браков постоянно бегает по зданию, у него много больных, он за них душой радеет, часто выговаривает родственникам:

— Я велел вам тщательно следить за своей мамой, шоколад для нее яд! И пожалуйста! Она опять в реанимации из-за того, что съела коробку ассорти... Вы убийца! Позволили пожилой женщине отравиться!

О скандалах Бракова с родственниками больных слагали легенды. Характер у доктора был непростой. Больным от него тоже доставалось на орехи. На тех, кто отказывался принимать лекарства, говорил: «Не хочу травить организм химией, лучше травку попью», врач накидывался крокодилом:

— Давайте! Ешьте сено! Но помните, до того, как человечество изобрело химические соединения, все королевские дворы, да и простые граждане, чудесно убивали друг друга «травками». Отлично у них это получалось.

Резкость, истеричность, злопамятность, гневливость — все это и еще многое другое Валентину Львовичу прощали за умение безошибочно ставить диагноз и назначать единственное правильное в данном случае лечение. В клинике его называли гением, сравнивали с главным героем сериала «Доктор Хаус». Чем больше Колыванов думал о Бракове, тем яснее понимал: с ним надо поговорить. И в конце концов он отправил сотрудников в клинику к доктору. Того не оказалось на месте, секретарь главврача сообщила, что врач на консультации в другой больнице. Какой? Она не в курсе. Люди Колыванова ждали Бракова, потом один из них случайно услышал, как помощница тихо сказала одной из медсестер:

— Валентина Львовича не будет сегодня. Я его предупредила, что тут следователи. Незачем ему с ними общаться. Они взяточники все и мерзавцы. Оборотни в погонах. Дома он.

Это насторожило полицейских, они отправились к кардиологу домой и полчаса топтались под дверью. Жена Бракова оказалась маниакально подозрительной, открыть створку она не отказывалась, — потребовала показать документы, звонила начальству, выясняла, работают ли сотрудники с такими фамилиями, не мошенники ли они. Но в конце концов все-таки впустила полицию. Бракова увезли.

Во время разговора Валентин Львович потерял самообладание и вылетел из кабинета Родиона с воплем:

— ...! ...! Они меня считают маньяком! ...! ...!

В коридоре толпились люди, одна из женщин живо принесла вспотевшему от злости Валентину воды, тот швырнул стакан в дежурного, заорал, пообещал отрезать парню сами догадайтесь что, вел себя безобразно. Ясное дело, доктора скрутили прибежавшие на шум сотрудники. Колыванов несказанно обрадовался поведению Бракова. У Родиона не было ни малейших улик, чтобы задержать кардиолога. Лишь «чуйка», которая ему подсказывала: Валентин явно замешан в убийствах. Но «чуйку» к делу не пришьешь. Следователь был обязан отпустить врача, и тут последний устроил дебош. Тихо радуясь неумению врача держать себя в руках, Колыванов засунул его в обезьянник, как лицо, напавшее на сотрудника полиции при исполнении служебного долга.

Услышав последнюю фразу, я захихикала.

— Что тебя развеселило? — не понял Вовка.

— Напавшее лицо, — объяснила я, — а остальные части тела: руки, ноги, туловище в нападении не участвовали?

— Не смешно, — поморщился Костин, — по этой статье можно ого-го как сесть. Колыванов подумал: врач нервный, посидит за решеткой, глядишь, опять возмутится и в порыве ярости сболтнет лишнее. Но вышло иначе, чем Родя рассчитывал. Естественно, в больнице вмиг узнали, что Браков сидит в камере. Коллектив накатал письмо руководству МВД, медики потребовали прекратить травлю врача. Но Колыванов не сомневался: Валентин Львович что-то скрывает. И вдруг! Через день на шоссе неподалеку от Полынова находят тело Ларисы Гурковой. С табличкой «Наказана». На трупе остались следы жестоких пыток, таких же как у предыдущих жертв. Эксперт дал заключение: все они с большой долей вероятности нанесены одной рукой. И что прикажете подумать? Взяли не того! Настоящий преступник на свободе! Бракова отпустили, из полиции он вышел свободным человеком.

Глава 21

На работе Валентина Львовича не особенно любили за жесткий нрав, за манеру вставать на утренних конференциях и сообщать прилюдно о косяках, которые совершили другие врачи. Ну, не принято так себя вести! Есть же понятие профессиональной солидарности! Увидел-услышал-узнал, что коллега допустил ошибку, шепни ему об этом на ушко. И уж совсем невозможно орать на доктора в присутствии больного! Ну ни один из врачей так не поступает! А Браков мог подойти к кровати, около которой стоял кто-то из ординаторов, и взвизгнуть: «Какого черта ты назначил бедолаге мочегонное? На тот свет мужика побыстрее спровадить решил? Диагноз твой на фиг неверен. У него...» И называл совсем другую причину недуга. Но самое интересное! Браков всегда оказывался прав, он никогда не ошибался в диагнозе.

Молодые специалисты боялись Валентина Львовича как огня. Да что там едва оперившиеся птенцы гнезда Гиппократа. Главный врач клиники, доктор наук, профессор, академик, весь увешанный орденами и званиями, и тот задумчиво тянул, глядя на больного:

— Давайте-ка позовем Валентина Львовича, пусть скажет свое мнение.

Через пять минут в палату врывался Браков и начинал:

— Почему на тумбочке бутылка сладкого пойла с пузырями? Как тебя зовут?

— Петя, — робко блеял мужик на койке.

— Петя, хочешь завтра подохнуть? — задавал свой коронный вопрос enfant terrible[1] клиники.

— Нет, — шептал больной.

— Тогда какого ... дерьмо в себя заливаешь? — осведомлялся доктор, потом показывал на телевизор: — И ... смотришь?

---

[1] Enfant terrible (устойчивое выражение) — ужасный ребенок.

— Батенька, — гудел главврач, — мы тут имеем камни в почках. Но я хочу выслушать ваше мнение.

Валентин быстро смотрел анализы и говорил:

— Если Петя глушит сладкую газировку, то камни у него в мозгу. Боли в спине не от почек. Онкология у него.

— Ну... — бормотал академик, — мы все проверили. Олег Геннадьевич лично смотрел его на предмет злокачественных новообразований. Не имеем подобного... э... казуса.

— Ну раз сам Олег Геннадьевич им занимался, мне надо помолчать, — фыркал Браков, — я остаюсь при своем мнении. Это онкология. Желудок.

— Гастроскопия чистая, — отбивался главврач.

— Супер, — кивал Браков, потом смотрел на больного. — Петя! Не дрейфь. У тебя самое начало рака. Фигня. Прооперируют, и забудешь. Требуй повторного обследования. Кто гастроскопию делал? Зинаида Ивановна? Да? Проси вот этого дядю, он в больнице главный, его умоляй, чтобы тебя Семен Петрович посмотрел! Зина на один глаз слепая, на второй кривая. Дерьма не пей, говна не ешь, телевизор не смотри, читай веселые книги и знай: ты не помрешь. С тем, что у тебя, на тот свет уезжать рано! И вообще онкология не твоя смерть! Ты в зоне риска по сосудам.

Высказавшись, Браков уходил. И что в результате? При повторном обследовании зоркий глаз внимательного узиста находил нечто микроскопическое, едва заметное... то, чего не узрела вечно куда-то спешащая Зинаида Ивановна.

Валентин Львович никогда не отказывал в консультации тем, кого лечили другие доктора. А уж за своих пациентов он дрался аки лев, проверял содержимое тумбочек, выбрасывал в окно продукты, которые приносила сердобольная, но до изумления глупая родня, мог наорать, обозвать пациента идиотом за курение или еще похлеще высказаться. Общаться с таким врачом очень трудно. Но многие больные, поступая в клинику, говорили в приемном покое:

— У вас есть врач, хам жуткий. Хочу только к нему!

Тихо ненавидя Бракова, и врачи, и медсестры признавали, что он гениальный диагност, поэтому со своими болячками шли только к нему и отправляли к Валентину родственников. Когда Бракова задержали по подозрению в совершении серийных убийств, возмутился весь коллектив.

— Он невыносим, — твердили сотрудники, — невозможный грубиян. Но за больных стоит горой. Полиция ума лишилась! Валентин Львович не способен причинить человеку зло.

В больнице вмиг создалось движение «Свободу Бракову», было составлено заявление в прокуратуру, его подписали почти все сотрудники и масса больных. Появление на работе освобожденного Валентина Львовича превратилось в праздник. Врача встречали цветами, транспарантом «Мы любим вас» и овацией. Никогда не теряющий самообладания доктор смутился и забубнил:

— Ладно вам. Устроили тут шоу!

Отношение к Бракову резко поменялось, все стали восхищаться им и говорить:

— Единственно честный человек, не боится говорить то, что думает.

В море любви Валентин Львович купался не долго. Вскоре после освобождения он умер. Выпил слишком большую дозу сердечного лекарства. Мать плакала: «Его полиция затравила, нервы у сына не выдержали». На похоронах все рыдали. Конец истории.

Костин замолчал.

— Убийцу женщин так и не нашли? — уточнила я.

— Нет, — пояснил Володя, — но и новых трупов после кончины Бракова не появилось. Родион уверен, что Валентин Львович был маньяком. Мне Колыванов сказал: «Да, отпустили его, потому что адвокат поднял громкий шум. Прокурор считал находку тела Ларисы Гурковой доказательством того, что настоящий убийца на свободе. Но я уверен! Всех лишил жизни Валентин!»

— Твой приятель прямо как Браков, — усмехнулась я, — тот тоже не собирался менять свою точку зрения.

— Валентин никогда не ошибался, — заметил Костин, — и есть еще кое-что. Рассказывая о том, как врача недолюбливали на службе, я не затронул деликатный вопрос о «конвертах». В России принято благодарить медиков. Торты, шоколадки, бутылки... Родственники больных не обладают богатой фантазией.

— Да уж, — вздохнула я, — Катюша[1] иногда сетует: «Еще немного, и у меня диабет начнется, тащат и тащат торты с жирным кремом. Никто ни разу не догадался доктору колбаски с черным хлебушком припереть».

— Ну и деньги еще, — продолжил Костин, — даже бабушка-пенсионерка норовит запихнуть в карман хирургу пару тысяч. Неистребимо это. Все про «конвертики» знают и помалкивают. А вот Валентин всегда визжал на человека, который пытался ему мзду вручить.

— Заберите. Перед вами не официант! Чаевые не принимаю! Мне зарплату платят. Те, кто у больных деньги берет, не достойны звания врача.

За такие речи Бракова считали лицемером.

— Почему? — удивилась я. — На мой взгляд, это вполне в духе Валентина Львовича. Меня бы покоробило, принимай он взятки.

— Правильно, — согласился Костин, — но есть нюанс, о котором ты пока не знаешь. Браков обожал жену, нежно относился к матери. Не секрет, что некоторые эскулапы, оставшись

---

[1] К а т я Р о м а н о в а — однофамилица и лучшая подруга Лампы, врач. История их знакомства, рассказана в книге Дарьи Донцовой «Маникюр для покойника».

на ночное дежурство, развлекаются с хорошенькими медсестрами. И вообще в больницах часты романы между сотрудниками. Но Валентин никогда не был замечен в прелюбодеянии. Он часто звонил домой, на новогодние корпоративы приходил с матушкой и супругой. Всем давно стало ясно: отношения у членов семьи прекрасные, невестка любит свекровь, та отвечает ей тем же. Многие женщины в клинике завидовали прекрасным отношениям в семье кардиолога. Масла в огонь подливал и внешний вид дам, они появлялись в очень дорогих платьях известных фирм, в шикарной обуви, пользовались лучшими автомобилями. И что совсем уж обидно, и жена, и мать заработали все сами, они владелицы общего бизнеса, богатые предпринимательницы. Материальное благополучие семьи не зависело от кошелька мужчины. Наоборот. Браков ездил на «Мерседесе», который он, учитывая резко отрицательное отношение к конвертам и нищенскую зарплату врача, никак себе позволить не мог. Костюм Валентина Львовича, его рубашка, ботинки, портфель — все кричало о большом достатке. И пах он по утрам таким одеколоном, что медсестры только вздыхали, их парни позволить себе этот парфюм не могли.

— Вот почему его считали лицемером, — догадалась я, — Валентин гневно обличал тех, кто брал вознаграждение, подчеркивал, что у самого руки чистые, но...

— Жил он не на зарплату, — перебил меня Костин, — не содержал жену, мать, кучу детей, не откладывал копейки на приобретение бюджетной иномарки, не тащил на горбу кредиты, а существовал за счет своих богатых родственниц, уверенно управляющих бизнесом. Имел ли он право метать молнии в тех, кто с трудом доживал от аванса до получки?

— Не очень-то красиво, — кивнула я, — ему следовало молчать.

— И последнее! — объявил Костин. — Кто у героя моего рассказа жена-мама? А?

— Понятия не имею, — удивилась я, — ты их не называл.

— Экая ты недогадливая, — упрекнул меня друг, — ладно уж, озвучу: Елизавета Королева и Маргарита Федоровна Борисова, владелицы санатория «Теремок» и сети одноименных гостиниц.

Глава 22

— Почему у них у всех разные фамилии? — только и смогла спросить я. — Браков, Борисова и Королева?

— Маргарита и Лиза остались в браке с девичьими фамилиями, — пояснил Володя, — а Валентина, понятное дело, записали на отца, известного в советские годы композитора Льва Бракова. Тот был автором множества песен для эстрадных исполнителей, уважаемый, знаменитый, богатый. Но всегда отличался склочным характером, вечно строчил письма в партком, заявлял, что его мелодии крадут коллеги, обвинял певцов в отсутствии голоса и вкуса... Понимаешь?

— Валентину Львовичу достался отцовский характер правдоруба, борца за чистоту профессии, — отметила я.

— Санитары леса нужны, — кивнул Костин, — но их никто не любит. Лев Браков прожил много лет, застал перестройку, работал до последнего дня. Он активно сотрудничал со звездами начала девяностых. Тогда, в эпоху глобальных перемен, популярность снискали мелодии «два притопа, три прихлопа». А Браков в советские годы сочинил музыку ко многим фильмам, нынче они стали классикой, и писал для мэтров эстрады. Но где взять таких в момент зарождения новой культуры? Лев перестроился вместе со всей страной, не стал «подтягивать» современных певцов до своего уровня, он опустился на их этаж. «Солнце светит мне в глаза, к тебе летит моя душа. Тра-ля-ля, тра-ля-ля, тра-ля-ля. Вот и вся мелодия моя». Ранее старший Браков резко отрицательно высказывался о подобных сочинениях, призывал бичевать тех, кто их создает и исполняет. А в девяностые сам принялся выпекать непотребство. Журналисты тут же обвинили его в двуличности, Лев не понял, что пресса теперь живет по другим законам, начал огрызаться и вмиг превратился в любимого мальчика для битья. Его фамилия стала нарицательной, ее упоминали всуе, где надо и не надо. Ну, например, писали в статье про птицеферму: «Директор фабрики, конечно, не такой поборник чистоты во всех помещениях, как всем известный скандалист Лев Браков...» Какое отношение композитор имеет к курам? Никакого. Просто пресса избрала его козлом отпущения.

— Неприятно, — поморщилась я.

— Худшее впереди, — пообещал Костин, — в самый разгар травли основательно всеми забытая, да и в советские времена не очень популярная певичка Марианна Магэш приняла участие в телешоу и на всю страну заявила: «Я прервала свою успешную карьеру из-за того, что Лев Браков пообещал меня убить, если я еще раз выйду на сцену. Он и раньше обзывал меня музыкальным позором, мусором эстрады. А потом сломал мне руку, не выпускал из-за кулис. Браков псих, поэтому я испугалась за свою жизнь». Сейчас прочитаю тебе часть беседы ведущего с Магэш. Вот, слушай.

Костин потыкал пальцем в айпад и начал:

— «Так прямо и не выпускал? — не поверил ведущий программы.

— Вцепился мне в плечо, — уточнила певица, — бешеный бульдог! Пинал кулаком в живот, шипел: «Сдохни! Таким нельзя петь. Народ портишь!» Отнюдь не ласковыми словами выражался. За кулисами люди по-разному общаются. И на эстраде, и в театре. Могу рассказать, как белые лебеди в пачках матерятся, если их кто-то случайно заденет.

— Значит, Браков бьет певицу, не позволяет ей выйти к зрителю, а присутствующие это безобразие молча наблюдают? — удивился ведущий. — Сам часто работаю на концертах. Случаются скандалы, но они быстро гасятся организаторами.

— Ой, да что вы знаете, — отмахнулась Магэш, — там находились...»

Певица принялась сыпать громкими фамилиями, но, увы, никого из свидетелей разнузданного поведения Льва в эфир пригласить не удалось. Одни умерли, другие эмигрировали.

После того как передачу выпустили в эфир, Магэш приехала в МВД, добилась приема у какого-то начальника и заявила, что композитор Браков пообещал ее убить за издевательство над музыкой.

— Он позвонил мне после эфира, — рыдала пожилая исполнительница, — и сказал: «Какого ... ты рот разинула и квакать стала? Да еще без разрешения отвратительно исполнила в студии мою песню, которую я для Магомаева когда-то написал. Хоть понимаешь, дура, кого своим блеяньем оскорбила? Самого Муслима! Гения. Дерьмо, которое на меня вылила, на твоей совести останется. Но издеваться над музыкой не позволю. Я тебе глотку перережу, в следующий раз не сможешь ни звука издать».

Магэш успокоили, пообещали разобраться, но на самом деле значения ее визиту не придали. Ну накипело у мужика, ну не сдержался, ну позвонил... Всем же ясно, Лев не собирается лишать жизни мумию советской эстрады, начисто забытую и совсем не популярную ранее. Но похоже, Магэш страдала от невостребованности и получала за свои скандальные выступления деньги. После визита в милицию она опять приняла участие в телешоу, теперь на другом канале, рассказала о мерзком поведении Льва, о равнодушии начальника из МВД, о том, что Браков обещал ее убить и она боится за свою жизнь.

Поднялся галдеж и лай. Бедный композитор, вместо того чтобы сцепить зубы и молчать, тоже ринулся бегать по телестудиям, обзывал певицу по-всякому, в конце концов начисто потерял самоконтроль и громогласно объявил: «Да я тебя, ... безголосую, лично в унитазе утоплю!»

Это заявление Лев сделал в пятницу. На следующей неделе тело певицы обнаружила домработница. Магэш утопили. В унитазе.

Никто не имеет права называть человека преступником, таковым он считается исключительно после зачтения ему судьей приговора.

Но прессе закон не писан. На следующий день после того, как труп Магэш отправили в морг, газета «Скандалы и правда» вышла с заголовком на первой полосе «Убийца песни». Речь в материале шла о Льве Бракове. И началось! Композитора поливали грязью все кому не лень, и в конце концов он умер от инфаркта.

Через год Маргарита Федоровна купила давно не работающий отель «Ромашка» и начала свой бизнес. Спустя время у семьи появилась еще одна гостиница, ее приобрела

Лиза, на которой женился Валентин. Елизавета неожиданно получила большое наследство и поступила не по-женски разумно. Она не потратила деньги на поездки по миру, шмотки, квартиру, машину, а решила включиться в дело свекрови.

Костин встал и пошел к холодильнику.

— Вот такая история. Чего у тебя там поесть найдется?

— Ничего, — рассмеялась я, — если не ошибаюсь, ресторан в «Теремке» работает до последнего клиента. Если он еще открыт, можно сделать заказ. Ты чего хочешь?

— Мяса! В любом виде, — заявил Костин, — на твой вкус.

— На мой вкус рыба с овощами, — возразила я, — или что-то из творога.

— Ну уж нет, — поморщился Костин, — сосиски и то вкуснее.

— Убийцу певицы нашли? — поинтересовалась я после того, как поговорила с сотрудником ресторана.

— Нет. Следователь Кальман Иванов успеха не добился. Пойду руки помою, — ответил приятель и исчез на четверть часа.

Когда он вернулся, я повторила:

— Кальман Иванов? Ты не путаешь?

Костин скорчил гримасу.

— Имя прикольное. В сочетании с фамилией совсем круто звучит. Но это все, что я могу сказать. Дела в архиве нет.

— Почему? — удивилась я.

— Где моя еда? — возмутился Костин. — Сколько можно ждать?

В дверь постучали, я открыла, появился официант с подносом.

— Очень кстати! — обрадовался Вовка. — Еще минута, и я стал бы от голода грызть мебель. Ставьте вот сюда.

Когда юноша ушел, я включила чайник, а Костин начал раскладывать приборы. Минут через пять мы сели ужинать и продолжили беседу.

— Так почему нет дела об убийстве Магэш? — повторила я вопрос.

— Крыса поработала, — ответил Вовка. — Есть безответственные мужики, которые в кабинете бутеры жрут. Сидят над бумагами, и у них с хлеба сыр-ветчина прямо на лист со свидетельскими показаниями шлепается. Следователь продукт поднимет и слопает, а запахто остался. Папки в архив сдадут, на вкусный аромат грызун прибежит и... чавк, чавк. Было дельце — и нет его! Схавали!

С вилки, которую Вовка держал в руке, свалилась котлета и угодила прямиком на айпад. Костин схватил бифштекс и стал вытирать салфеткой экран.

— Интересно, крыса может слопать планшетник? — поинтересовалась я. — Твой теперь пропитался духом мяса.

— Невероятно смешно, — буркнул приятель, — с каждым случиться может.

— Жирные, наверное, шушеры в том архиве живут, — протянула я. — Полагаю, Маргарита Федоровна вышла замуж совсем юной?

— Расписалась пара на следующий день после того, как Рите стукнуло восемнадцать, — ответил Костин. — На момент знакомства она была несовершеннолетней. Сын у них родился через шесть месяцев после свадьбы.

— Думаю, это был недоношенный ребенок, — ехидно заметила я, — хорошо, что его выходили.

— Историю появления на свет Валентина я не изучал, — с набитым ртом признался приятель, — но, думаю, ты права. Некоторые младенцы торопятся появиться на свет, в особенности если отец в годах, а мать совсем недавно получила статус взрослой. В советское время с пиететом относились к деятелям искусств, им многое позволялось. Но совращение малолетней-то не одобрялось. Перед нами брак по залету. Уж не знаю, сколько в нем было любви. Рита девочка из низов. Вот справка о ней. Маргарита Федоровна Борисова, москвичка, отец работал водителем на хлебокомбинате, сел за руль пьяным, врезался в автобусную остановку. Слава богу, там не было людей, никого он не убил, но попал на зону. Мать Ольга Ивановна, уборщица при ДЭЗе, мыла подъезды. Я подумал: где дочь уголовника и поломойки могла свести знакомство с Левой, бонвиваном, обладателем мерзкого характера и толстой сберкнижки? Уж не помогала ли девочка маменьке? Может, та любила стакан понюхать, а дочь шла за нее отдуваться? И точно! Ольга Ивановна служила при ЖСК «Композитор», наводила чистоту в трех домах, где приобрели квартиры певцы, музыканты. Случилась романтическая встреча! Рита с ведром и шваброй, Лева с охапками цветов после концерта. Она Золушка, он принц. И не важно, что королевич слегка молью побит, он мог замарашку сделать королевой. Как думаешь, она на него тряпку уронила? Или воду вылила?

Глава 23

— Зря ерничаешь, — остановила я Костина, — даже сейчас, будучи пожилой дамой, Маргарита прекрасно выглядит, смотрится лет на пятнадцать моложе паспортного возраста, сохранила стройную фигуру, у нее блестят глаза. Назвать Борисову старухой язык не поворачивается. Она дама. Но вот всегда ли Рита ею была? Мой отец, ученый с генеральскими погонами, работал на оборону, мама, оперная певица, бросила карьеру, чтобы меня воспитывать. Я очень поздний ребенок, появилась на свет, когда матери за сорок было. По советским временам ей следовало уже бабушкой стать. Мамочка моя была уверена, что дети не ее судьба. И вот! Я! Да еще в таком возрасте. У родителей были близкие друзья, очень известный советский писатель, его называли гением. Он женился на Анастасии, которую я в детстве боялась хуже крапивы. Она даже в старости выглядела необычайно красивой: огромные глаза цвета фиалок, рыжие волосы, талия как у осы.

Старуха постоянно делала мне замечания: «Не горбись. Не болтай, когда взрослые говорят. Пользуйся салфеткой. Не кашляй с набитым ртом». Критике подвергалось все: мои волосы, одежда, обувь, манера разговаривать, улыбаться. Если я стояла, то некрасиво, если сидела, то ужасно. Анастасия прекрасно играла на рояле, пела, знала литературу, музыку, живопись. Она могла взять с полки альбом, открыть его и спросить:

— Деточка, кто автор этого полотна?

Я краснела, потела и отвечала:

— Не знаю.

Анастасия закатывала глаза:

— О боже! Ван Гог! Постарайся это запомнить.

Но у меня при виде жены гения вмиг улетучивался весь ум. Я ее боялась до икоты. Как-то раз пара зашла к нам на огонек. Мама попросила меня поставить на стол коробку шоколадных конфет. Ассорти находилось в буфете. Ощущая кожей взгляд Анастасии на своей спине, я побрела к буфету, пару раз споткнулась о ковер, услышала:

— Деточка, выпрямись, отведи плечи назад, не косолапь.

Кое-как я открыла дверцу, прищемила себе палец, вынула коробку и уронила ее. Конфеты разлетелись по ковру.

— Хорошо воспитанная девочка донесла бы к столу угощение, — мигом отреагировала Анастасия, — и перестань сутулиться. Тренируй походку. Стой у стены каждый день, прижавшись к ней спиной. Минут по двадцать. Иначе меж лопаток вырастет горб. Мой отец...

По моим щекам потекли слезы.

И тут моя мама во весь свой оперный голос заявила:

— Не было у тебя отца. Кто мужик, спавший с твоей матерью, неизвестно. Прекрати третировать мою дочь! Над своей издевайся.

Гостья не ожидала столь резкого отпора и растерялась:

— У меня нет детей.

— Верно, — согласилась моя мамочка. — А почему?

Анастасия не нашлась, что ответить, а мама продолжала:

— Тысяча девятьсот восемнадцатый год. Тебе пятнадцать лет. Провинциальный городок на море. Только что ушел последний корабль с русскими дворянами, которые успели эмигрировать. Белый офицер Костя опоздал. Все. Не удрать ему из Совдепии. Он решил расслабиться, зашел в грязную дешевую местную гостиницу. И там на плешивом бархатном диване обнаружил местную гетеру, которая, как Иродиада, плясала обнаженной перед пьяными мужиками. Кто-то из зрителей бросил в девушку чашку, попал ей в плечо, осколки распороли кожу, потекла кровь. Девица начала площадно ругаться... Костя тем временем спросил у хозяина отеля, где он может найти определенного сорта женщину, тот ответил:

— Все на корабль сели, осталась только эта дура, никому не нужна оказалась. Чучело неумытое. Бери ее задешево.

На следующее утро Костя увез девицу в Москву, отмыл ее, одел, научил есть с ножом и вилкой, отвадил от ругани, придумал легенду о девушке княжеского рода, сироте, которая вынуждена скрывать свое происхождение, и женился на шлюхе. Любовь зла! Слава лейтенанта Шмидта не давала ему покоя. Фея панели оказалась не глупа, так появилась Анастасия. Перед кем угодно можешь из себя герцогиню корчить, но не в моем доме. Я про тебя знаю правду, которую ты закопала и забыла. Ты была проституткой. Дешевой. Теперь внешне гранд-дама. Деньги мужа придали тебе лоск. Но все равно ты осталась в душе шлюхой. В мой дом приходишь лишь потому, что Андрей дружит с Костей. Откуда мне известно твое прошлое? В той гостинице у стойки бара в момент, когда в танцовщицу швырнули чашку, стоял гимназист, сирота Андрей. Он тоже опоздал на тот пароход, и, в отличие от Константина, отвесил оплеуху тому, кто обидел проститутку. Восемнадцатый год. Кажется, это было очень давно. Все уже умерли. Никто ничего не помнит. Ан нет. Ты жива. Андрей мой муж, Костя твой супруг, и я тоже. Никто тебя прошлым не попрекает. Но в следующий раз, когда ты решишь поучать мою дочь, вспомни, из-за каких операций у тебя нет детей, и захлопни пасть!

Речь мамы, всегда ласковой, нежной, ни разу на моей памяти не сказавшей не то что бранного выражения, а даже слова «идиот» в чей-то адрес, потрясла меня настолько, что я до сих пор ее помню. Кто такие гетера, шлюха, фея панели, проститутка, я не знала. О каком пароходе говорит мама, тоже, и, конечно, не сообразила, какие операции она имеет в виду. Потом, спустя много времени, я все поняла.

— И к чему у нас вечер воспоминаний? — спросил Костин.

— Прошлое у всех разное, если видишь перед собой элегантную даму, то не знаешь, как она себя в пятнадцать лет вела, что натворила, какие тайны закопала, — вздохнула я. — Нет человека без скелета в шкафу. Только у одного там маленькая косточка, а у другого кладбище динозавров. Можешь найти адрес Кальмана Иванова?

— Следователя, который занимался убийством Магэш? — удивился Вовка. — Зачем он тебе? И жив ли он? Понятия не имею, сколько ему лет.

Я встала.

— Когда Маргарита Федоровна извинилась передо мной за прорыв трубы в люксе и предложила пройти в номер, где мы сейчас находимся, ее телефон лежал на стойке ресепшен. Экраном вверх. Мобильный зазвонил. Борисова сбросила вызов. Но на том конце провода решили проявить настойчивость. Трубка снова зазвонила. Я увидела, что и в первый, и во второй раз определился один контакт. «Dreck». Девочка Романова безуспешно учила в школе немецкий язык, в памяти осела пара фраз. Гутен таг. Шпацирен геен.

Костин расхохотался.

— Я лучше тебя владею немешем. Кроме твоих «добрый день» и «пойти гулять» еще знаю «миттагэссен гебен», в переводе — дайте пообедать[1]. Получил знаний больше, чем ты.

— И почему меня не удивляет, что ты запомнил выражение про еду? — хихикнула я. — Зато ты не переведешь «дрек мит пфеффер».

— Это чего? — удивился приятель.

— Дерьмо с перцем, — весело объяснила я, — немецкое ругательство. Моя мама наняла мне репетитора, студента из ГДР, звали его Курт, он со мной уроки делал и постоянно повторял: «О! Дрек мит пфеффер твой учебник!» Я один раз произнесла сей оборот на уроке, училка чуть в обморок не упала, закричала:

— Романова! Кто тебе рассказал про дерьмо с перцем?

И в моей головушке эти слова навсегда остались. Прочая лексика улетучилась. Что-то не так в методике преподавания детям знаний. Нехорошее оседает в мозгу, а умное-доброе-вечное вмиг испаряется. К чему я все это вспомнила? Dreck — высветилось на экране телефона Маргариты. Помнится, я подумала:

---

[1] И Лампа, и Костин ужасно произносят несколько слов на языке Гейне и Гете.

«Интересно, человек в курсе, что его фамилия переводится с немецкого как «дерьмо».

Маргарита сухо ответила:

— Слушаю.

Трубку она держала, не плотно прижав к уху, я услышала ответ:

— Привет. Кальман беспокоит.

— Поняла, — процедила хозяйка санатория, — узнала вас, господин Иванов.

Фамилию свекровь назвала специально для невестки. Лиза закатила глаза.

— Что так официально? — засмеялись в телефоне.

— На совещании нахожусь.

— Начальница, однако! Деньги пришли не в полном объеме. Половина суммы.

— Сейчас не могу обсуждать данный вопрос.

— Понял. Если до вечера не найдешь минутки поболтать с верным другом, то извини. Я не угрожаю. Реагирую адекватно ситуации. Покедова.

— Дерьмо, — выпалила Лиза, — вот дерьмо!

Свекровь округлила глаза:

— Дорогая, что вынудило тебя столь резко высказаться?

Лиза мигом поняла, что ей не следовало так реагировать. Надо отдать должное Королевой, она тут же сообразила, как исправить оплошность. Молодая женщина показала на пятно, которое темнело на бежевом ковре.

— Прошу прощения за неаппетитную речь. Кто-то из постояльцев принес на обуви собачьи фекалии. Сейчас вызову уборщицу, а то его разнесут. Минуточку.

Елизавета схватила листок бумаги, живо прикрыла пятно, которое больше походило на след от пролитого кофе.

И все переместились в комнату, где мы сейчас с тобой сидим. Но я поняла: слово «дерьмо» относилось не к пятну, а к человеку, с которым безо всякой радости говорила свекровь. И слово «Dreck» на экране мобильного Маргариты не смешная фамилия. Нет. Она же сказала «господин Иванов». Dreck — это кличка абонента. Если хочешь знать отношение человека к себе, попробуй выяснить, как ты у него в контактах записан. Похоже, Маргарита владеет немецким и специально на этом языке обозначила Иванова. Чтобы никто не понял, как она его любит.

Глава 24

— Ишь ты! Частное детективное агентство, — восхитился обрюзгший мужчина с трехдневной щетиной на лице. — Вам, случаем, опытный человек не нужен?

— Хороший профессионал всегда кстати, — ответила я, думая, что сказать хозяину, если он предложит мне снять сапожки.

Пол крохотной прихожей, где я стою, покрыт грязью, на крючке, который тут исполняет роль вешалки, висит замызганный пуховик. Под зеркалом — похоже, его в последний раз протирали, когда русская армия под предводительством Суворова совершила свой геройческий переход через Альпы, — валяются две засаленные до такой степени тапки, что на них тошно смотреть. А какой запах стоит в квартире! Готова спорить на что угодно: владелец хором вчера ел рыбу с чесноком, запил ужин дешевым алкоголем и завалился спать, я его сегодня в полдень разбудила.

— И зачем такой красавице я понадобился? — приосанился Иванов.

— Пообщаться с вами надо, — ответила я. — Где нам лучше побеседовать?

Иванов поскреб ногтями затылок.

— В комнате я не успел убрать, а на кухне порядок. Не западло вам там посидеть?

— Прекрасно, — одобрила я.

Бывший следователь сделал широкий жест рукой:

— Битте.

Ну вот. Мне на жизненном пути попался еще один знаток немецкого языка. Я протиснулась в пятиметровое пространство, без приглашения опустилась на табуретку и обозрела пейзаж. В мойке гора грязной посуды, правда, плита идеально чистая, похоже, на ней никогда не готовили. Зато СВЧ-печку используют часто, ее дверца вся заляпана. Белый холодильник тоже покрыт пятнами, на подоконнике банка из-под растворимого кофе, из нее несет табачным перегаром. Вместо клеенки-скатерти на столе газета с полуразгаданным кроссвордом. На ней пустая банка из-под сайры в масле, крошки, несколько чашек с опивками, ложка из нержавейки. На полу между холодильником и мойкой батарея пустых бутылок из-под самой дешевой водки и вина «Красное отборное». Никогда не видела такого, но, думаю, оно имеет незабываемый вкус и аромат.

— Чайку хлебните, — радушно предложил владелец норы, ставя передо мной фаянсовую кружку, покрытую изнутри коричневым налетом.

На дне ее лежал пакетик.

— Заварка есть, а все остальное закончилось. Получил пять дней назад пенсию, ума не приложу, куда она подевалась? — посетовал грязнуля.

Я покосилась на шеренгу пустой стеклянной тары. И правда загадка, ну куда господин Иванов деньги истратил?

— Имя у тебя, красавица, заковыристое, — начал светскую беседу Кальман, — с трезвых глаз не выговоришь. Евлампия.

— У вас тоже не простое, Кальман, — заметила я. — Случайно не имеете родственной связи с венгерским композитором, которого звали Имре Кальман? Он написал много оперетт — «Сильва», «Принцесса цирка», «Фиалка Монмартра»...

— О! Знаете музыку, — обрадовался хозяин.

— В прошлой жизни я получила диплом консерватории по классу арфы[1], — уточнила я.

---

[1] Биография Лампы подробно рассказана в книге Дарьи Донцовой «Маникюр для покойника».

— Интересный пируэт, от арфистки к детективу, — кашлянул мой собеседник, — моя мать одно время работала в Большом зале консерватории.

— Правда? — удивилась я.

— Очень уж она музыку любила, со многими композиторами, дирижерами, исполнителями дружила, — сообщил Иванов. — Хорошо знала классику, но обожала до безумия легкий жанр. Специально брала заказы от солисток театра оперетты, почти бесплатно для них работала с условием, что ей дадут служебный пропуск на год. Сына Анна Петровна сначала хотела назвать Икс. В честь мистера Икс. Знаете эту оперетту?

— Конечно, — засмеялась я. — «Всегда быть в маске судьба моя...» Арию гениально исполнял Георг Отс. Но на сцене его не помню, только по кинофильму. Певец рано скончался. А вот моя мама, оперная певица, с ним общалась. Отс бывал у нас в гостях, но это происходило до моего рождения.

— Отец конкретно не захотел сына Икса, — пояснил Иванов, — они с матерью долго спорили. В конце концов Нюся, так ее и дома, и на работе звали, заявила: «Хорошо. Он будет Кальман. В честь композитора. Точка. Все равно я его так назову. Без твоего согласия!»

Иванов начал заливать пакет с чаем кипятком.

— Кальман Иванов. Натерпелся я в школе. Как только меня не обзывали: Кульман, Какаман, Котман. Изощрялись по-всякому. Тебе, наверное, тоже досталось! Евлампия! Учудили, однако, твои родители.

— Раньше меня звали Ефросинья, сокращенно Фрося, — объяснила я, — Евлампией я стала во взрослом возрасте. Но меня не дразнили, я люто ненавидела занятия, постоянно симулировала разные болячки, поэтому в основном сидела дома.

— Фрося Романова? — повторил Кальман. — Мама певица? Папа генерал-ученый?

— Да. Откуда вы знаете? — поразилась я.

Кальман опять почесал затылок.

— Помнишь Нюсю-леворучку? Ее так звали, потому что она была левша.

— Сапожницу? Конечно, — улыбнулась я, — симпатичная тетечка, гениально обувь делала. Все удивлялись, принято считать, что сапоги-лодочки только мужчины тачать умеют. А тут милая брюнетка. У нее актрисы, певицы, многие из мира театра-музыки туфли заказывали. Моя мама частенько ее приглашала. Нюся и папе ботинки мастерила. Работала быстро, хорошо.

— Это моя мама, — сказал Кальман.

Я оторопела.

— Не может быть!

— Почему? — усмехнулся он. — Я помогал матери, развозил заказы. Старшую Романову помню, в отличие от других клиентов, твоя мамаша меня всегда вкусным угощала, чаевых не жалела. Тебя пару раз видел, но не обратил внимания. Ходила мелочь в платье. Разница большая в возрасте у нас. Я уже повзрослел, а ты была ребенком. Эх, нечем нам с тобой выпить-закусить за встречу.

— Плохо переношу алкоголь, — призналась я.

Кальман схватил меня за руку.

— Слушай! Я следователь, профи высокого класса. Можешь справки навести. Не алкаш вовсе. Сейчас от тоски квашу. В милиции кучу лет оттрубил, поэтому семьи не завел. Ни жены, ни детей, только работал, работал, работал, конем вкалывал. Итог? Выперли на пенсию. Ничего хорошего за каторжный труд я не получил, только копейки раз в месяц. Пристроился в охрану. Сутки через трое в супермаркете у касс брожу. Блин! Я! Дураком рассекаю! «Где крупа?» — «Налево, за чаем». Тьфу. Не о том я мечтал. Знаешь, какие дела я вел? Рассказать не могу. Не болтун. Ты в агентстве кто?

— Сотрудник, — осторожно ответила я.

Хозяин отошел к окну.

— Вам там не нужен отличный сыскарь, а? Могу землю носом рыть! Мы же с тобой с детства знакомы. Моя мать твоей туфли шила. Не чужие друг другу! Не подумай, что я из-за денег прошу, хотя они мне во как нужны!

Кальман провел ребром ладони по шее и повторил:

— Во как! Но не в зарплате дело. Мне хочется на службу. Сечешь? Не гляди так! Да! Я квасил неделю! Ханку жрал! Опух, не брился, не мылся. Дай мне час! Не узнаешь меня! Водярой я наливаюсь от безделья, одиночества. Помоги, а? Ну помоги!

Мне стало жаль Кальмана, я вынула телефон.

— Господин Костин, агент Романова по личному вопросу.

Слава богу, Вовка понятлив, он сухо ответил:

— Слушаю вас.

— Я нахожусь вместе с Кальманом Ивановым. Он до пенсии работал следователем.

Костин молча слушал, как я излагаю просьбу бывшего мента, потом перебил:

— Ваше предложение?

— Мы можем использовать Иванова в качестве внештатного агента, — затараторила я. — Готова взять его в дело санатория «Теремок». Если Кальман хорошо себя проявит.

— Да, да, да, — зачастил хозяин квартиры. — Сейчас...

Он вскочил и выбежал из кухни.

— Подожди, — шепнула я в трубку.

— Угу, — донеслось в ответ.

Я встала, выглянула в коридор и услышала шум воды из санузла.

— В душ помчался, — пояснила я Володе, — жалко его. Кальман определенно что-то знает о дамах из «Теремка». Давай поступим так, я скажу ему, что он нанят на одно дело. Если проявит себя, потом пристроим в офис.

— Добрая ты наша, — вздохнул Костин, — с алкашом связываться гиблое дело, они не способны работать.

— Давай дадим ему шанс, — заныла я, — посадим на ресепшен. Если станет пить, выгоним. Где риск?

— Если уговоришь мужа, я возражать не стану, — пообещал Володя, — до первого запоя. Пусть помогает администратору.

— С Максом я справлюсь, — обрадовалась я.

— Не вздумай алконавту денег дать, — предупредил Вовка.

— Похоже, у него даже на метро мелочи нет, — вздохнула я.

— Без денег обойдется, — повторил Костин, — купи ему проездной.

Глава 25

— Ты не пожалеешь! — пообещал Кальман. — Ни на секунду.

Я посмотрела на собеседника, который, приняв душ, вымыв голову, побрившись и сменив грязный спортивный костюм на брюки с пуловером, стал выглядеть лет на десять моложе, и произнесла:

— Надеюсь, мне не придется за вас краснеть. Давайте сразу к делу. Я пришла к вам, чтобы узнать, с какой целью вы звонили вчера Маргарите Федоровне, владелице санатория «Теремок». Она совсем не обрадовалась, увидев, кто ее разыскивает.

— Да уж, — пробормотал Кальман, — это точно. Понимаю, что ты сейчас обо мне подумаешь, но вот, сделал. Маме требовалась операция. Денег не было. Только поэтому я решился!

— Можете честно и подробно изложить историю? — остановила я поток оправданий.

Иванов дернул плечом:

— Задай ты этот вопрос с порога, послал бы тебя лесом. Но теперь я ваш сотрудник. М-да. Только пойми, не вчера это станцевалось, я тогда другим человеком был. Да и молодым совсем.

Мне пришлось ждать, когда Иванов приступит к повествованию, и после долгих объяснений я услышала наконец правду.

Следователю Кальману поручили разбираться с убийством мало популярной в прошлые времена певицы Магэш. Уже не молодую женщину утопили в собственной квартире в унитазе. Единственным подозреваемым являлся композитор Браков. Вот его имя гремело в советские времена, да и потом слава Льва не угасла, создатель популярных песен не канул в безвестность, как некоторые его коллеги. Он сумел подстроиться под новые времена, регулярно мелькал в телевизоре. Солидный возраст не мешал Бракову петь, плясать, аккомпанировать певцам. Он родился прирожденным шоуменом, обладал мгновенной реакцией, чувством юмора, не терялся от вопросов. Его охотно приглашали в разные программы. На одном шоу он повздорил с Магэш, которая наговорила глупостей про Бракова. А Лев в ажиотаже пообещал утопить ее в унитазе.

Начальник проинструктировал Иванова:

— Действуй аккуратно. Трендила по роялю имеет множество знакомств. Проявишь хамство, неприятностей не оберемся. Понял?

— Да, — кивнул Кальман, который на самом деле понял, по какой причине ему досталось громкое дело и почему более опытные сотрудники не стали спорить, а молча согласились, чтобы Иванов включился в работу. Да, «карьерное дело» может случиться у следователя один раз в биографии. Если найдешь преступника, о тебе напишут в газетах и ты перепрыгнешь через несколько ступеней служебной лестницы. Но с таким же успехом можно свалиться ниже плинтуса, коли не справишься с работой, да еще наживешь врагов в случае ошибки. «Карьерное дело» хитрая штука, в случае твоего успеха как следователя это взлетная площадка, а в случае неудачи глубокая могила. Опытные следователи чураются чести заниматься такой радостью. А уж если один из фигурантов знаменитость, которая славится архискандальным характером, тут уж точно все свои по углам затаятся. Вот почему начальник «осчастливил» интересной работой Кальмана, который недавно в его отдел попал.

Иванов рьяно взялся за исполнение обязанностей и вскоре понял: похоже, Браков влип по самые свои музыкальные уши. Консьержка в доме Льва Валентиновича рассказала, что в день, когда убили Магэш, композитор в благодушном настроении вернулся домой в пять вечера. А в двадцать один десять страшно злой вылетел из подъезда, вернулся через несколько часов, имел донельзя перепуганный вид. Когда композитор проходил мимо лифтерши, та заметила, что светлые туфли франта покрыты мокрыми пятнами и у него трясутся руки. Но ведь замочить обувь можно и в луже или пролив на себя минералку. Дрожащие пальцы тоже не улика.

Кальман решил опросить тех, кто мог видеть композитора у квартиры Магэш. Она жила в скромном доме, в подъезде со сломанным домофоном. Здание располагалось неподалеку от метро, у входа в него плотно стояли ларьки, около них вечно гудела толпа народа. Но родные пенаты Магэш возвышались чуть в глубине квартала, там в основном ходил местный люд, торговых точек не было. Зато имелись соседи, на радость Иванову, рядом с потерявшей популярность Марианной обитала до невозможности любопытная Земфира Исмаилова. Эта дама оказалась в курсе всех перипетий жизни Магэш.

Стены в доме возвели, похоже, из картона. Марианна имела зычный голос, по телефону она всегда орала так, что Земфира слышала каждое слово. Вот и в роковой вечер Исмаилова стала невидимым свидетелем очередной беседы Марианны. Певичка затеяла разговор где-то без десяти минут девять, Земфира отлично помнила время, потому что она собралась в двадцать один ноль-ноль посмотреть программу «Время», заранее включила телевизор без звука. И тут Магэш закатила такой концерт, что соседка вмиг забыла про все новости.

— Алло, — завизжала Марианна так, что в буфете Исмаиловой, стоявшем у стены, которая разделяла апартаменты двух женщин, зазвенели рюмки, — позови-ка Левку. Ой, ...! Не корчи из себя святую фиглю! Знаю, Ритка, про все твои выступления, про то, что Левка несовершеннолетнюю шлюшку... А ты не промах оказалась, ребенка ему на шею повесила. Ха! Узок мир кулис, детка. Справа пукнут, слева завоняет. Гони сюда Левку да не бреши, что его дома нет. Хелло, Левик! Не визжи! Есть деловое предложение. Про бабки. Ха! Ему не надо! Мне надо! Ты хорошо упакован, а я с голой ...! Слушай! Или ты меня куда-нибудь пристраиваешь, на радио, в ротацию, три-четыре песни свои даришь. Или я про тебя всю правду расскажу. Ха! Шоу ерунда. Кое-что еще у меня за щекой спрятано. Где Кристина, Левчик? Опаньки! Думал, я не знаю? Наивняк! Криська дружила с Мартой Елкиной. А я Марте не посторонняя. Так что из первых рук информация. О-о-о! Прямо я испугалась! Давай, давай, за бутылкой и пошуршим.

Не прошло и получаса, как в квартире Магэш раздался звонок, и Земфира услышала диалог:

— Левчик!

— ...!

— Не ори!

— ...!

— Не трогай меня! Скот!!!

Исмаилова с восторгом слушала скандал, который, похоже, перерос в драку. Потом шум стих. Земфира некоторое время ожидала продолжения концерта, но у Магэш царила тишина. Соседка легла спать. Днем ее напугал истерический вопль:

— Помогите!

К Магэш приехала приятельница, открыла почему-то незапертую дверь... Дальше известно.

Кальман тихо потирал руки. Рассказ Земфиры и лифтерши давал ему полное право на беседу с композитором. Но, памятуя слова начальника действовать осмотрительно, так как у подозреваемого масса влиятельных знакомых, в том числе в МВД, следователь решил выяснить, о какой такой Кристине говорила Магэш, начал копаться в биографии композитора и вырыл дурно пахнущую историю. Он даже растерялся, когда сообразил, что вытащил из тьмы веков. Кальман целый день ломал голову, как ему поступить, и в конце концов позвонил... Нет, не Льву Валентиновичу, а Маргарите. Жена композитора назначила ему встречу не на городской квартире, а предложила приехать к ней на дачу. Кальман удивился, когда услышал, что ехать надо не в элитное место вроде Переделкина, Пахры или Снегирей, а в деревню Зюкино. И он был ошарашен видом избы-развалюхи. Маргарита, одетая в дорогое платье, источавшая аромат французских духов, смотрелась в убогой комнатушке, как бриллиант в коровьей лепешке.

— Это ваша дача? — не удержался от вопроса следователь.

— Дом бабушки, где я провела детство, — спокойно объяснила дама. — Если я правильно вас поняла, наша беседа совсем не предназначена для чужих ушей, а здесь гарантированно нет посторонних. Говорите. Слушаю.

Кальман выложил историю Магэш.

— Вы считаете моего мужа убийцей певицы? — невозмутимо осведомилась Рита, когда Иванов замолчал.

— Верно, — подтвердил следователь.

Собеседница поправила локоны.

— Имя Лев не уникально. Земфира не видела, кто пришел. Возможно, у Марианны был приятель, тезка моего мужа. Слова соседки не прямое доказательство. Теперь о нашей лифтерше. Пятна воды на ботинках мужа и трясущиеся руки. Смешно.

— В тот день дождя не было, я проверил, — уточнил Кальман, — и по времени совпадает.

Маргарита не занервничала.

— Вечером по городу ходит масса народа. Значит, они все, как вы говорите, «по времени» вписываются. О туфлях. У Льва Валентиновича простатит, он не контролирует мочевой пузырь. Если мужа прихватит, он сходит прямо на улице по-маленькому, найдет укромное место. Ну, замочил обувь. Докажите иное. Супруг мой эмоционален, подчас не следит за речью, но быстро отходит, не помнит зла. Убить человека он не способен. Да и повод невелик! Глупая баба, которая никогда не считалась звездой, несла чушь в дурацком шоу. Лева никогда бы не принял участия в этом маразме, да его обманули организаторы, соврали, что речь пойдет о певцах, которые потеряли популярность, нуждаются в помощи. Умоляли поддержать Магэш, солгали, что она больна, они решили ей денег на лечение собрать. Лева, наивный, поехал, и вон что оказалось. До съемки его в отдельной гримерке держали, он Марианну только в студии увидел. Разозлился, конечно, когда она врать начала, в сердцах грубость выпалил. Но не более того. И где повод для убийства?

— Кое-кто способен из-за обмылка жизнь у другого человека отнять, — возразил следователь.

— Мой муж не кое-кто! — отрезала Рита. — И он не убийца. Зачем вы меня на этот разговор вызвали? Что хотите? В чем причина нашего тайного свидания?

— Кристина Воротникова, — сказал Кальман. — Помните такую?

— Естественно, — спокойно ответила Маргарита, — она работала в коллективе «Поющее Солнце», бэк-вокалисткой. Мы дружили, хоть Крися и была старше меня.

— Дружили? — повторил Кальман. — Уверены?

Глава 26

— Зачем вспоминать то, что случилось много лет назад? — улыбнулась Маргарита. — Но если вам хочется... Да, мы с Воротниковой приятельствовали.

Кальман усмехнулся.

— Магэш тогда была солисткой в коллективе, а Лев Браков холостой мужчина, вел себя, как хотел. Востребованный композитор с деньгами — лакомая добыча для девушек. Кристина вступила с ним в любовные отношения.

— Кто вам эту чушь сказал? — заморгала собеседница.

— Марта Елкина, — объяснил Иванов.

— Кто? — поразилась Борисова.

— Вторая бэк-вокалистка группы «Поющее Солнце», — уточнил следователь.

— Не надо врать, она сто лет назад на машине разбилась, — возмутилась Маргарита, — села пьяной за руль и въехала куда-то.

Кальман вынул из кармана диктофон, положил на стол и нажал кнопку.

— Привет, Ритка, — понеслось по комнате, — не дергайся, это не байки из склепа. Я жива. За рулем сидела Нинка Ласкина. Я бухнула в тот день, дала ей ключи и сама на заднем сиденье заснула, очнулась в реанимации. Нинка в самосвал врезалась, она всмятку, а у меня сотрясение мозга, раны на лице, нога сломана. Поскольку Нинон за рулем нашли, то решили, что это я померла. И сообщили на работу. Потом разобрались. Да слух, что Елкину по шоссе размазало, уже пошел. Я на сцену не вернулась, вышла замуж за врача, который меня лечил. Ты меня небось тоже покойницей считаешь. А зря. Я жива и все знаю. Помню. Криська с Левой спала, она надеялась, что он на ней женится. А потом он заявил: «Рита от меня беременна». Кристина зарыдала. Браков давай объяснять: «Сам не знаю, как это вышло. Ей восемнадцати нет, мать девчонки грозится в милицию заявление написать про изнасилование малолетки. Придется в загс идти».

Крися решила за свое счастье бороться, принялась за Левой бегать, говорила: «Я тоже ребенка жду». Браков меж двух огней оказался, и с той, и с другой спал, обе беременные. Наш композитор запаниковал. С одной стороны, малолетка, из-за нее в тюрьму загреметь можно, с другой — Криська, алименты... Куда ни плюнь, везде плохо. У Ритки мамаша активная, у Криськи родителей нет, одна она, но сама чисто танк! Мы с Магэш поспорили. Марианка говорила, что Левка на нимфетке женится, а Криська сразу аборт сделает, на фига ей ребенок? Он только средство Бракова к себе привязать. А вот Ритка до конца пойдет, она твердо решила композитора захапать. Я иначе считала: Кристинка старше, умнее, поет шикарно, из себя красавица. Лева к ней вернется. На кону туфли стояли французские. Потом Криська меня попросила: «Помоги! Хочу Ритке отомстить. Позвала я Бракова на дачу в субботу, пообе-

щала аборт сделать, но при условии, что он со
мной в последний раз переспит. Вы с Нинкой
заранее в доме спрячетесь, когда у нас самое
интересное начнется, потихоньку в спальню
войдете, снимки сделаете и так же бесшумно
сваливайте. И потом через денек к Маргарите
езжайте. Левка, когда на бабе лежит, ничего не
слышит, не видит. Он вас не заметит. Я его за-
держу, а вы готовые фотки наглой сикухе покажите. Уверена, она добычу из грязных когтей
не выпустит, все равно в загс с Левкой попрет-
ся. Но семейную жизнь я им изгажу навсегда!»
Мы с Нинкой Криськину сторону занимали,
но у нас фотоаппарата не было. По тем временам дорогая вещь. Доайфоновая эра. На пленку
кадры снимали, потом в лабораторию сдавали.
А у Магэш была фигня с объективом, она ловко
щелкала. Пришлось нам ей все рассказать, иначе она нам ничего не давала, пристала с вопросами, поняла, что не хотим объяснять, и поставила условие: фотик хороших денег стоит, она
едет с нами, сама кадры сделает, нам не доверяет, еще разобьем, а сейчас ей рассказываем, что
да как. И мы ей все выложили.

Здорово мы веселились, представляя, как
рожа у Левки перекосится, когда Ритка ему
вломит, но все пошло не так, как хотелось. За-
таились мы на втором этаже, услышали шум
мотора, из-за занавесок стали во двор смотреть.
Видим машину Бракова. Из нее вышли Левка
и Крися, но в дом не направились, стояли около автомобиля, о чем-то гудели вполне мирно.

Потом Криська вдруг зашаталась и упала. Левка нагнулся над ней, не испугался, не удивился. Словно ждал, что Воротниковой дурно станет, затем из багажника брезент достал, в него Криську закатал и утащил. Мы стоим, ничего не понимаем, не знаем, как быть. Жутко стало! Я на первый этаж смоталась, со стола бутылку коньяка взяла, прямо из горла тяпнула. Наверх вернулась, Марианка шепчет:

— Левка вернулся один и уехал. Куда он Крисю дел?

Мы в полном офигении из дачи вышли. Дом Воротниковой был последний на улице, на дворе октябрь. Теплый такой, в летней одежде все ходили, но народ с фазенд в город уже подался. Никого в садовом товариществе не было. Нинка сказала:

— Помните день рождения Криськи? Шашлык жарили на берегу реки. Она здесь рядом, глубокая, быстрая.

И тут нас осенило! Левка Кристину чем-то напоил. То ли снотворное ей дал, то ли яд. А потом тело утопил. Или живой в воду скинул. Бежать, спасать Воротникову бесполезно. Времени много прошло, захлебнулась она давно.

Магэш опрометью к своей тачке кинулась и уехала, фотоаппарат с собой увезла. Меня коньяк догнал. Я Нинке ключи сунула, сама сзади легла. Ласкина хорошо водила, аккуратно. Но ее стресняк колотил, поэтому и вломилась в фуру. И что получилось: Ласкина в морге, я в реанимации. Почему, когда я выздоровела, в милицию не пошла? Роман с доктором закрутила, другая жизнь началась, не хотела жениху про то, зачем на дачу поехала, рассказывать, не стала ему сообщать, как три девицы явились в избу, чтобы чужие постельные игры фоткать. Что обо мне Коля подумает? Почему Магэш молчала, не спрашивай, не знаю. Я после выздоровления ни с кем из прежних знакомых не общалась. Жизнь круто изменила. Ритка, я жива. Все знаю, помню. Следователь мне объяснил: он уверен, что Левка Марианну убил за то, что та захотела сейчас, дура старая, популярной стать с помощью Бракова. Припугнула его, что про смерть Криськи сообщит. За убийство срока давности нет. Наверное, она те снимки сохранила. Маргарита, ты живешь с убийцей. Тебе не страшно?

Кальман встал, открутил кран и сунул под воду чашку.

— Диктофон с записью признания Елкиной цел. Когда компьютеры обыденностью стали, я материал оцифровал. Вот такая история.

— И как Маргарита отреагировала на откровения Марты? — поинтересовалась я.

Кальман жадными глотками осушил кружку.

— Ничего в ее лице не дрогнуло. Просто спросила: «Сколько?» Я молчал. Она назвала сумму. Меня деньги устроили. Рита потребовала в обмен на конверт диктофон. В голову ей не пришло, что у меня может копия храниться. На следующий день она привезла деньги и сказала:

— Ты можешь на неделю заболеть? Мне нужно несколько дней.

Я не понял зачем, но спрашивать не стал, только предупредил: «Мы сидим в одной лодке. Если задумала мне напакостить, не советую. Отвечу тройным ударом». Она молча ушла, я прикинулся, что грипп подцепил, обдурил районного терапевта, та бюллетень выписала.

Сижу дома у телика, начальник звонит.

— Ты там как? Совсем плохой?

Я его заверил:

— В понедельник на работу выйду.

Семен Сергеевич в ответ:

— Кальман, тут такое дело... Сейчас меня вызывали на самый верх, Лев Браков с собой покончил. Немедленно езжай к нему домой, один. Плевать на твой грипп. Осмотрись там, порядок наведи. Нельзя, чтобы о суициде заговорили. Случайная передозировка лекарств. Пожилой уже, память отшибло, вот и проглотил лишку, два раза принял свои таблы.

Я забеспокоился:

— Семен Сергеевич, эксперт сразу поймет что к чему.

А он мне:

— Не твоя забота. Опиши случай как естественную смерть. Только порядок в хате наведи. Это не моя просьба! С потолка спустили.

Иванов сел к столу.

— Прибыл я к Бракову в квартиру. Маргарита там одна была. Я сразу спросил, кто еще находится в апартаментах. Она ответила:

— Никого. Мы были вдвоем. Я смотрела телевизор, супруг пожаловался на усталость, лег. Через час я пошла посмотреть, как там Лева, а он мертвый. Выпил свои таблетки от сердца. Ему их кардиолог выписал. Я знаю, почему он решил из жизни уйти, рассказала ему про Кристину, про нашу с тобой беседу, про то, что его посадят.

Я двинулся в спальню. Вроде все соответствует Ритиному рассказу. Стакан. На дне капли жидкости. Тело лежит на спине, лицо спокойное. Записки нет, но не всегда их оставляют. Да только я носом почуял: дело нечисто. И решил хозяйке проверку на вшивость устроить. Попросил пакеты принести, обычные такие.

Она удивилась:

— Зачем?

Спокойно ей пояснил:

— Руки покойного упакую. Когда человек сам таблетки берет, у него на пальцах непременно остаются мельчайшие следы препарата. Чтобы их не стряхнуть, надо пакеты прикрепить. Эти частицы — стопроцентное свидетельство того, что мы имеем дело с суицидом. Ежели их нет — кто-то Льва отравил.

Чушь, конечно, нес, но она мне поверила, с самым грустным видом сказала:

— Кальман, помоги мне, пожалуйста, я так устала. Возьми сам на кухне пакетики, они лежат в корзинке, она между холодильником и стеной находится. А я тут посижу, прощусь с Левой.

Глава 27

Я вышел из комнаты, громко потопал по коридору, потом на цыпочках вернулся, заглянул в спальню. Опаньки! Все, как я думал и рассчитывал. Безутешная вдова из тумбочки вытащила новую упаковку лекарства, одну таблетку растерла в ладони и давай порошок в пальцы правой руки мертвеца втирать. И тут я вошел со словами:

— Снимаю шляпу, отлично придумано.

Ритку словно молнией в макушку шарахнуло. Стоит, моргает. А что сказать, когда ее на горячем поймали. Я в кресло сел, спокойно продолжил:

— Сама догадалась? Или где-то прочитала? Все гениальное просто. Как сымитировать суицид? Коим образом заставить человека добровольно выпить смертельную дозу лекарства? Насильно запихивать таблетки в рот нельзя, останутся микротравмы, эксперту сразу станет понятно: не сам человек в лучший мир уехать решил. Растворить, влить в рот спящему? А где следы его пальцев на стакане? Некоторые что делают: вложат потом стакан в ладони убитого, сожмут, вынут и на тумбочку ставят. Глупо! Криминалист на раз-два сообразит: не сам покойничек чашку держал. Есть особые хитрецы, они емкость разбивают, полагают, что на осколках ничего не обнаружить. Потом на зоне себя за тупость клянут. Нельзя в наше время с учеными соревноваться, они умнее обывателя, и в лаборатории аппаратура такая, что нет шансов чего-либо скрыть. Надеяться, что эксперт тяп-ляп обязанности выполнит или в бюджете милиции денег на дорогостоящие изыскания не окажется? Не спорю, сплошь и рядом такое бывает, но и тех, кто скрупулезно, методично, вдумчиво работает, огромная армия. Какой шанс, что именно лодыря и дурака на осмотр места происшествия пришлют? Вдруг попадется аккуратный, умный зануда!

Маргарита умная, наверное, не один день размышляла, как поступить, и додумалась до простой, как все гениальное, вещи. Если Лев САМ возьмет стакан, в котором разведена большая доза лекарства, САМ спокойно выпьет жидкость, а потом отправится в последнее путешествие, то ни одна душа не усомнится в суициде. Лично брал, лично пил, никто ему не помогал. И как поступила Рита? Растворила медикамент, который не имеет ни запаха, ни вкуса, ни цвета, поставила стакан у изголовья мужа. Браво! Думаю, при вскрытии в желудке композитора найдется селедка, маринованные огурцы, копченая колбаса... Не знаю, что он больше любил, но еда будет определенно из той категории, что вызывает потом сильную жажду. Покойник понятия не имел, что вода в стакане не просто вода, но ни один эксперт в мире не докажет, что мертвеца обманули. Сам взял, сам пил. Маленькая деталь. Я твою биографию изучил. На момент свадьбы со Львом тебе едва сравнялось восемнадцать, но ты уже имела диплом медсестры. Девочка в пятнадцать поступила в училище, проходила практику в крупной больнице, в токсикологии. В том отделении не только самоубийц откачивали, там еще приводили в чувство запойных алкоголиков, наркоманов, дураков, которые поганки сожрали. Маргарита была отличницей, не забыла то, чему научилась у педагогов, поэтому не совершила ошибку, которую порой допускают самоубийцы и отравители. Она не насыпала в воду много таблеток, знала: излишняя доза может вызвать рвоту, человек избавится от выпитого и не умрет. Достаточно превысить количество пилюль в несколько раз, тогда все поступит в кровь, и человеку кирдык. Восхищен твоим умом и сообразительностью...

Кальман постучал пальцами по столу и спросил у меня:

— Знаете, как она отреагировала?

— Предложила денег за молчание? — предположила я.

Иван усмехнулся.

— Не-а. Вмиг скинула платье, осталась полностью обнаженной, спросила: «Тебе впечатлил только мой ум? Есть еще и тело». Хороша она была необыкновенно, глаз не оторвать. Я был молод, кровь кипела. Ну мы и пошли в ее спальню. Потом я экспертов вызвал. Смерть признали случайной. Пожилой человек, память его подвела, принял лишние пилюли. Дело Магэш уехало в архив. Но и я, и Рита прекрасно понимали: Браков убийца, на его совести минимум две жертвы, Кристина и Марианна, но мы никогда ничего не обсуждали. Отношения наши длились около года. Потом я познакомился с Ириной Масловой, мулаткой, ну и не устоял. К Рите я уже привык, потянуло на новые ощущения. Вот такие мы, мужики, гады. Ира приехала в гости сюда, в эту квартиру, в которой мы находимся. Только мы уютно устроились, появилась Маргарита. Классика жанра. Мы на диване, Рита входит в комнату. Я от неожиданности брякнул:

— Ты же в Питер на неделю уехала!

Она спокойно ответила:

— За четыре дня с делами управилась, раньше вернулась.

И ушла.

Пока я оделся и за ней бросился, Борисовой и след простыл. Никакого скандала, выяснения отношений, упреков, негодования с ее стороны. Ничего. Рита просто исчезла из моей жизни, к телефону не подходила. Через пару недель я Борисову у дома подстерег, начал в любви признаваться, она улыбнулась:

— Милый, нам было хорошо, случился праздник. Потом он превратился в быт. Вот все и закончилось. Я на тебя ни капли не сержусь, уверена, если понадобится, ты мне всегда поможешь, а я тебе руку протяну в момент беды. Давай перевернем страницу и пойдем дальше.

Я схватил ее за плечи:

— Выходи за меня.

Она осторожно высвободилась.

— В мои планы брак не входит. А вот тебе лучше завести семью, детей.

И ушла.

С Ирой я разбежался, после того как Борисова нас застукала, мулатка на меня даже смотреть не хотела. Примерно через год я с ней. на улице столкнулся. Шел в торговый центр, а Ирина из шикарной машины вылезла. Остановился поболтать и предложил:

— Поехали ко мне.

Она рассмеялась.

— Иванов! Ты дурак. Знаешь, сколько я стою? Твоей зарплаты даже на один поцелуй не хватит. Я для богатых, щедрых мужчин. Так и не понял, да? Мне Маргарита заплатила, чтобы я тебя соблазнила. Придумала, как от тебя избавиться, чтобы ты виноватым оказался. В зеркало давно смотрел? А в кошелек свой заглядывал? Такой Аполлон, как ты, может такую девушку, как я, только «котлетой» высотой в полметра привлечь. Ну и самомнение, как ты мог подумать, что я с тобой в порыве страсти лягу?

Заржала и ушла. Здорово, да?

— Неприятный щелчок по самолюбию, — согласилась я. — Маргарита Федоровна оборотистая дама. Вы ей позвонили?

Кальман насупился.

— Нет. Великолепно понимал, что услышу: «Ирина врет. А тебе пора жениться». Наши пути с Маргаритой полностью разошлись. Я десять лет жил с Надей. Тихая, уютная, заботливая баба. Именно баба. Ни блеска, ни шика, ни ума особого. Отлично готовила, стирала, убирала, не упрекала, что работаю без выходных, ни разу скандала не закатила. Правильная жена мента, только скучно было с ней аж до зубной боли, а так все хорошо. Я даже жениться собрался. Да Надя умерла. Глупо получилось, открывала консервную банку, порезалась, к утру руку раздуло, сепсис — и конец. С тех пор ничего серьезного у меня ни с кем не было.

— Судя по телефонному звонку, вы с Маргаритой возобновили отношения, — заметила я.

Кальман потер ладонью затылок.

— Я потихоньку интересовался, как ее дела, знал, что Валентин женился, семья владеет сетью гостиниц с названием «Теремок». Не сомневался, что мотор бизнеса Рита. Но не звонил ей, не лез с разговорами, хорошо понимал, что жизнь нас в разные лагеря поселила. Я простой полицейский, генералом-министром не стал. Маргарита же из девочки при муже превратилась в богатую бизнесвумен. Что у нас общего? Воспоминания? Она все забыла. Я не собирался ей трезвонить, но...

Кальман опять пошел к мойке и открутил кран.

— История повторилась. Перекопировалась. Меня на пенсию отправили. Пришел новый начальник, ему для какого-то своего человека понадобилась моя должность. Раз, и я за бортом. Электрочайник следователю Иванову на прощание подарили. За хорошую службу награда. И на том спасибо. Зарплату малую платили, а уж на пенсию, которую мне начислили, даже кошке не выжить. Долг за коммуналку набежал. За день-другой до того, как жалкая подачка от государства на карту упадет, я голодал, машину свою, развалину, заправить было не на что. Мрак. Сумел пристроиться охранником в супермаркет. Полегче стало материально, а морально очень неприятно. Да, я не имел генеральских погон, но люди, которые напротив меня на стуле сидели, меня почти богом считали. Можете кого угодно спросить: Кальман служебным положением не злоупотреблял, взяток никогда не брал. За всю карьеру один раз против улик и совести своей пошел из-за Маргариты. Хотите верьте, хотите нет, есть в ней бесовское, умеет она человека вынудить под свою дудку плясать. Вроде ничего не делает, а ты в ее власти.

Кальман почесал макушку.

— М-да. Хотя, если разбирать детально, то она не красавица. Да, симпатичная, да, ухоженная, да, умеет себя подать, но не замрешь от восторга при виде ее в первый раз. Потом ясно станет: она умная, хитрая, расчетливая. И харизма через край прет. Штучный вариант. Маргариту сделали и форму разбили. А сынок у нее получился... Эге!

Иванов отвернулся к окну.

— Весь в папашу. Генетика соответствующая. Говорят, снаряд два раза в одну воронку не падает. Еще как падает. Со свистом. И треском. Лев народ убивал от злобы, на фонтане ненависти взлетал. А Валентин, тот, возможно, киллер по идейным мотивам.

Я прикинулась, что ничего не знаю.

— Намекаете, что младший Браков кого-то лишил жизни?

Кальман потер ладонью лоб.

— Генетику тряпкой не сотрешь. Есть статистика: в большинстве случаев дети преступников идут по кривой дорожке. Я много рассказал. Надеюсь, вы точно меня на службу возьмете. Жизнь приучила меня не верить людям на слово. Прочитаю приказ о своем зачислении и тогда обрадуюсь. Может, еще чего вспомню интересное. До свидания!

Глава 28

Выйдя на улицу, я села в машину, поехала в «Теремок», по дороге позвонила Костину и рассказала ему все, что услышала от Кальмана.

— Работать с таким уродом? — взвился Вовка. — Ни-ко-гда!

— Он определенно знает нечто про Маргариту и ее сына, — напомнила я, — более того, думаю, бывший следователь владеет информацией о Галине Утятиной. Возможно, она жива.

— Почему ты так решила? — удивился Костин.

Я притормозила у светофора.

— Иванов довел меня до двери, распахнул ее и сказал: «Сейчас вместе в подъезд спустимся». Потом, прямо как был, не накинув куртки, шагнул на лестницу. Я его остановила: «Там холодно, оденьтесь». Кальман махнул рукой: «Лень».

— Тогда оставайтесь в квартире, — велела я, — прекрасно сама дойду, не далек путь от парадного.

— Так темно, лампочку вечно кто-то выкручивает, — проявил заботу Иванов.

— Ерунда, — отмахнулась я.

— Не боитесь помещений без света? — поинтересовался Иванов. — Говорят, в них призраки обитают.

— Не верю во всякую чушь, — отмахнулась я. — И фонарик в телефоне есть.

Иванов снял с крючка куртку и накинул себе на плечи.

— Воспитание не позволяет мне отпустить девушку одну в темень. Даже такую храбрую, как вы. Даже с фонариком. Если сейчас у двери стоит урод, который поджидает беззащитную жертву, то вас телефон со светом никак не спасет. Веса у вас нет, сил, похоже, как у цыпленка. Но даже будь вы, госпожа Романова, здоровенной бабой с пудовыми кулаками, внезапно напавший из тьмы мужик вас ошарашит. Как действуют насильники, маньяки, серийные убийцы? Они используют фактор неожиданности. Появляются в такой момент и в таком месте, где вы их не ждете. Я когда-то упек за решетку редкостного мерзавца. Он прятался в дамском туалете, выбирал сортиры, где царит полумрак. Гаденыш затаивался в кабинке. Большинство женщин, оказавшись в дамской комнате, чувствуют себя в безопасности. Жертва открывала дверь в кабинку, а там мужик с ухмылкой на роже! Конечно, все терялись, получали в лицо снотворный спрей и падали. Преступник утаскивал несчастную. Мимо охраны он шел, неся жертву на плече со словами: «Ну, блин, опять нажралась, на ногах не стоит». Секьюрити хихикали, ни один не остановил мерзавца, не стал задавать ему вопросы.

Продолжая болтать, Кальман сопроводил меня к выходу, открыл дверь подъезда и вдруг сказал:

— Думаю, трудно представить, как страшно женщине, молодой, одинокой... Она во тьме, нет у нее телефона с фонариком. Она знает, что никто не придет на помощь, потому что ни одна душа понятия не имеет, где спрятали жертву. Вокруг чернота. Тишина. Ужас. Ожидание смерти.

Я сразу спросила:

— О ком вы?

Он ухмыльнулся.

— Просто рассуждения вслух. Фантазии.

— Гад! — буркнул Володя. — Возможно, он что-то знает. Но о ком?

— Нельзя исключать того, что Кальман возжелал попасть в штат агентства и просто решил меня заинтриговать, — ответила я.

— Мерзавец! — с чувством произнес Костин. — Я с ним сам побеседую.

— Не надо, — испугалась я, — перегнешь палку, и он ничего не сообщит.

— Не беспокойся, — процедил Володя, — у меня даже дубовый пень запоет. Я бывший мент, он тоже, найдем много тем для бесед.

— Полицейский, — поправила я.

Костин издал смешок.

— Я мент, в милиции пахал! И то, что она теперь полицией называется, ничего не меняет. Иванов тоже там служил, но он не честный мент! Он мусор. Из-за таких, как Кальман, народ милицию помойкой обзывал, и в конечном итоге из-за подобных ему гадов она полицией стала. Хотели ее имидж подправить. Мусоров было мало, правильных ментов много. Но о мерзавцах все говорили, писали, а о честных сотрудниках молчали. И до сих пор так. Закончена беседа! Теперь в отбросах я роюсь! Мне в бачке привычно, много лет у меня там кабинет был.

В мое ухо полетели частые гудки. Я воткнула трубку в держатель. Уж не помню, когда Вовка так злился. Ох, не знает Иванов, что его ждет!

Телефон не долго стоял без дела, зазвонил, меня искала Киса.

— Лампа, Лампа, — затараторила она, — у нас завтра красный день календаря. С подарками.

— Завтра праздник? — удивилась я. — Какой? Двадцать третье февраля прошло, Восьмое марта недавно отгуляли. Правда, если взглянуть в окно, то у нас не первый месяц весны, а настоящий московский ноябрь, со снегом, слякотью, дождем...

— День рождения санатория «Теремок», — радостно закричала Киса.

— Понятно, — вздохнула я, — всем детям положены пакеты с конфетами. Сколько с меня за кулек?

— Нет, нет, платить не надо, — возразила девочка.

— Правда? — удивилась я. — Странно, однако.

— Нужно самой купить подарок! — начала объяснять Киса. — У нас планируется тайный медведь.

Я вздрогнула. Интересно, как долго меня будет передергивать при упоминании Михайло Потаповича?!

— Ты здесь? — спросила Кисуля.

— Мне деться некуда, — сказала я, — еду по шоссе. Кто такой тайный медведь?

— Он есть, но его на самом деле нет, а подарки принесет каждый тому, кто записан. Понимаешь?

— Нет, — призналась я.

— Даже Оля Маркова сразу сообразила, а ей всего шесть, — укорила меня Киса, которая не так давно отметила семилетие.

— Прояви снисхождение ко мне, — попросила я, — наверное, у меня от старости соображалка заплесневела.

Киса, весело смеясь, начала болтать, и вскоре суть дела прояснилась.

В честь праздника администрация «Теремка» устраивает концерт. В программе заявлены звезды эстрады и поздравления от детей. Ребятам предстоит вручать презенты родителям. Воспитатель Юлия напишет имена взрослых на бумажках, их бросят в шапку, ребята по очереди вынут рулончики и громко произнесут имя того, кому они должны вручить сувенир. Это действо называется «Тайный медведь».

— Тайный Санта, — осенило меня, — Юлия любит голливудские рождественские фильмы.

— Тебе надо красиво выглядеть, — разглагольствовала Кисуля, не обращая внимания на мое замечание, — туфли на каблуке. Такие, как у мамы Нины. Я тебе ее покажу, она всегда в холле сидит. Купи скорей подарок от меня. Я не могу с тобой пойти, сейчас начнется репетиция, примерка костюма, грима, прически.

— Непременно зайду в магазин, — пообещала я.

— Очень рассчитываю на твою сознательность, — изрекла Киса и отсоединилась.

Я вырулила на шоссе и обрадовалась: слава богу, столица с ее бесконечными пробками осталась позади. Сейчас поеду быстро, без задержек.

Глава 29

Несмотря на будний день и небольшое население города Полыново, в местном торговом центре клубился народ. Судя по номерам припаркованных на стоянке машин, большинство праздно шатающихся прибыли из Москвы. Ну и какой презент можно купить для абсолютно чужого человека, чье имя даже не знаешь?

Я застыла в раздумье в круглом холле, из которого лучами расходились галереи.

— Нужна пара платьев, — зачастил за моей спиной женский голос, — пальто, шуба, пуховичок...

— Зима закончилась, — прогудел в ответ мужчина.

— У нас до июня стоят морозы.

— Ты будешь носить мех до лета?

— Почему нет? Посмотри журналы. Все звезды Голливуда вышагивают в соболях по красной дорожке.

— Так они миллионы за фильмы зарабатывают. И у тебя шмотья полно. Шкаф скоро треснет.

— Хочу проявить милосердие. Раздать свой гардероб бедным, нищим, голодным. Просто так, без денег. Пусть носят. Но голой на улицу не могу выйти. Нужно одеться. А во что, если все отдано тем, кому есть нечего?

— Ну, знаешь! Если бедные носят твой пятьдесят восьмой размер, то они не голодают, — возразил муж.

— Идиот! Дурак!

Я обернулась, увидела красную толстую женщину, упакованную в дорогую дубленку.

— С тобой жить невозможно, — заорала она, — ты думаешь исключительно о себе. Ходим по магазину два часа! Сделали покупку для тебя. А что мне?

— Имеешь в виду носки? — уточнил супруг.

— Две пары! — топнула ногой его жена.

— По цене одной, — отметил муж, — а тебе приобрели браслет и серьги.

— Это не одежда, — начала разливаться соловьем тетушка, — голой в бриллиантах не пойдешь.

— О! Чистая правда, — согласился муж.

— Двигаем в бутик, — обрадовалась жена.

Но супруг развернулся и пошагал к выходу. С воплем: «За что я должна жить со жлобом!» — толстуха кинулась следом, а я направилась в небольшой магазинчик, решив, что шарф — прекрасный подарок, много денег не потрачу и он всем подойдет.

Лавку я покинула через четверть часа, так и не подобрав ни шаль, ни кашне. Все товары были украшены надписями на разных языках, лишь на одном шарфике я обнаружила сообщение на русском: «Если положишь в мою копилку сто рублей, получишь нежности на тысячу». Надпись показалась мне неуместной. Я не владею родным наречием Шерлока Холмса, что указано на других товарах, не понимаю, лучше не рисковать. Хорошо помню, как одна моя знакомая щеголяла в майке с иероглифами, а потом один китаец растолковал ей, что на ней написано: «Тушонка Великая стена продается тут».

Следующий час я шаталась по галереям и в конце концов пришла в уныние. То, что не стыдно вручить незнакомому человеку, стоило дорого, а сувениры за нормальную цену выглядели ужасно. Окончательно добила меня «Копилка для тещи».

— Бросаете в прорезь монетку, — весело объяснил продавец, — а вынуть ее нельзя.

— Придется разбить керамическую свинку? — вздохнула я. — Жаль уничтожать фигурку. Если уж и заводить хранилище для денег, то многоразовое, которое открывается.

— Не! — радостно заржал парень за прилавком. — Хрюшка железная, хоть молотком по ней стучи, ее не повредишь. И дырка хитро сделана, захочешь рубли вытащить, год тряси, ничего не вывалится.

— Зачем такая штука? — поразилась я. — Как из нее деньги вытащить?

— А никак, — расхохотался юноша, — она же для тещи. Так ей и надо.

Мне стало жалко торговца.

— У мамы вашей жены сварливый характер, это не очень приятно. Но подружиться можно даже с гюрзой. Главное...

— Раньше сорока я не женюсь, — перебил меня парнишка, — не хочу конем на чужую бабу пахать. Вот в старости, когда мне помощь понадобится, подыщу себе молодую, красивую, богатую, с папашей-миллиардером.

Я молча ушла из лавки, увидела кафе, подошла к стойке с пирожными и заметила фигурку размером с мою ладонь — цветок из шоколада.

— Что, понравился? — спросила девушка на кассе. — Прекрасный подарок. Всегда уместный. Стоит всего триста рублей, а удовольствия доставит на миллион...

Из подсобного помещения появилась черноволосая женщина, похожая на сердитую ворону.

— Екатерина! Сто разов говорено! Убери свою дрянь из моей кондитерской. Не место ей тут. Я запретила барахлом торговать! Никому из посетителей эта гадость не нужна. Они сюда зачем явились? Сладкого поесть. И что? А?

— Нина Яковлевна, — заныла девушка, — ну, пожалуйста, дайте мне шанс. Это отличный соаповый продукт.

— Не в моем кафе, — возразила владелица, — заведи свое, там чем хочешь торгуй.

— А вот женщине изделие очень даже по вкусу пришлось, — пробормотала Катя, глядя на меня. — Правда?

Мне стало жалко начинающую шоколатье, поэтому я решила ее поддержать:

— Симпатичный тюльпан. Сделан со вкусом и...

Я замялась, больше слов для похвалы не нашлось. И тут меня выручил телефонный звонок.

— Лампа, — зашептала Киса, — ты где?

— В магазине, покупаю подарок для тайного медведя, — объяснила я.

— Через полчаса день рождения санатория начнется, — шептала Киса, — беги скорей. Я одна без подарка, всем остальным родители уже их принесли.

— Ты сказала, что мероприятие будет завтра утром, — напомнила я.

— Перепутала. Сегодня. Сейчас.

— Странные люди, — возмутилась я, — нет бы заранее родителей предупредить...

— На ресепшен объявление висит.

— Да ну? — удивилась я. — Не видела.

— Лампа, ну скорей беги!

— Киса, надевай костюм, — закричал из трубки незнакомый голос, — потом будем бумажки тянуть. Подарок у тебя?

— Да, — не колеблясь, соврала девочка и отсоединилась, не забыв прошептать: «Скорее».

— Дайте цветок, — быстро решила я.

Хозяйка кондитерской закатила глаза и ушла.

— И охота вам всякую дрянь брать! Хотя спасибо, теперь в зале перестанет лавандой вонять. Ненавижу эту отдушку.

— Упакую в красивую коробочку, — пообещала Катя, когда начальница удалилась, — перевяжу фирменной ленточкой. Как вас зовут?

— Евлампия, — представилась я.

— Прикольно. Вы покупатель моего юбилейного десятого шедевра, — вещала девушка, — поэтому следующее свое крутое соаповое изделие я назову, как вас. Можно? Соап Евлампия.

— Конечно, — разрешила я, не спрашивая, что такое соап, и получила картонный сундучок, украшенный красной тесьмой с надписью «Кондитерская Элен».

Держа подарок обеими руками, я понеслась к машине. Надо нажать на газ, Киса, наверное, от волнения места себе не находит.

Едва я вошла в зал, как ко мне бросились две тетушки с воплем:

— Она живая!

Я хотела спрятаться за колонну, но женщины оказались проворнее. Одна из них, в зеленом платье расцветки «вырви глаз», мигом схватила меня за рукав.

— Вы писательница.

— Нет, — ответила я.

— Ой, не обманывайте! Дайте автограф! Понимаю, вы соблюдаете ин когтя.

— Не на чем, — ответила я и попыталась высвободиться.

«Ин когтя» это, наверное, инкогнито.

Незнакомка открыла сумку, выудила оттуда толстое издание в бумажной обложке и протянула мне:

— Вот, только что купила.

Я уставилась на обложку. «Гермоген Евсеевич Ростовский-Удальцов. Великие стихи о смысле жизни в прозе».

— Простите, я не пишу стихов.

— Ой, не шутите, — захихикала незнакомка, подавая мне ручку.

— Это произведение принадлежит не женщине, — продолжала я.

— Ерунда, вы на нем фамилию черканите, — перебила тетушка.

Я поняла, что она не отстанет, и аккуратно написала на первой странице: «Вместо Гермогена Евсеевича Ростовского-Удальцова тут отметилась Евлампия Романова».

— Здорово, — обрадовалась незнакомка, — теперь подпишитесь.

Я показала на свою фамилию:

— Уже.

— Но вы здесь накарябали... Ев... лам... как-то еще дальше... непонятно ваще-то...

— Евлампия Романова, — уточнила я.

— Это кто? — заморгала любительница чтения. — Не поняла...

— Не являюсь литератором, — еще раз пояснила я.

— Ой, да ладно, — зачастила тетушка, — никому не скажу, что здесь сама Зинаида Банкина! Ин когтя. Очень ваши романы люблю. И телепрограммы. Ни одной не пропускаю. Супер книги у вас. «Как солить огурцы», «Квашеная капуста и блюда из свеклы». Вы гений!

Мне удалось высвободить руку.

— Извините, я тороплюсь, — сказала я, двигаясь по проходу.

Но отойти далеко не удалось. Цепкие пальцы схватили меня за локоть.

— Можно селфи?

Я не знала, как отделаться от назойливой особы, и уж в который раз возразила:

— Простите, я не являюсь автором кулинарных книг.

— Меня зовут Веруся, — зашептала женщина, — я вас узнала. Понимаю, вы хотите отдохнуть в тишине, ин когтя, поэтому не признаетесь, что звезда, но ради меня сделайте исключение. Никому не расскажу правду. Честное слово. Только один разочек. Селфеюшечку. Плииз.

— Я не имею отношения к Зинаиде Банкиной, — отбивалась я.

— Ясно, ясно, — кивала Веруся, — честное слово, не выдам вас. Пусть меня режут, бьют, в кипятке варят! Ни гугушечки о том, что в «Теремке» сама Зинаида Банкина балдеет. Нема, как памятник великому поэту Маразму!

— Был такой? — поразилась я.

— Не знаете? — в свою очередь, удивилась фанатка солений. — Маразм Нотрдамский! Я ездила в Европу, видела его статую.

— Эразм Ротердамский, — догадалась я и совершила ошибку.

— Точно, — заликовала Верочка, — он самый и есть. Ну что, так и будете прикидываться, что не пишете великих книг? Только писатели про Маразма знают. Ну еще такие, как я, которые литературой и культурой увлекаются. Умоляю. Селфеюшечку. Одну!

Мне стало понятно: лучше назваться Банкиной, все равно тетка не отстанет.

— Хорошо, — сдалась я.

— У-и-и-и! — завизжала тетка. — У-и-и-и-и!

— Пожалуйста, тише, — попросила я.

— Ой, простите, — испугалась Вера, вынимая телефон, — от радости не сдержалась! Ща. Секундос. У меня трубка тормозная. Улыбочку, смотрим вместе в дырочку.

Я застыла с растянутыми губами и через секунд двадцать спросила:

— Все?

— Не-а, погодите, он думает.

В тот же момент раздался громкий щелчок, мне в глаза ударил яркий пучок света. Я вмиг ослепла.

В мою щёку ткнулось что-то мокрое, послышалось смачное: чмок!

— Вы душенька, — заорала прямо в мое ухо Вера, — такая же милая, как по телику. Только на лицо страшная и волосы как шерсть у мексиканской лысой собачки. Но ведь главное душа! Спасибо за доброту! Автограф подарили, селфюшечку сделали. Вы теперь мой двойной кумир! Не то что одна телеведущая! Так меня лесом послала, что я теперь икаю, когда она на экране вся красивая нарисовывается.

— Лампа! Ты принесла подарок? — закричало голосом Кисы странное существо, похожее на бильярдный шар, только размером с журнальный столик. Из шара торчали две тонкие ноги в желтых колготках и такого же цвета кроссовках.

— Да, — ответила я, подходя ближе. — Вы кто?

— Не узнала, — радостно заверещал шар. — Колобок! И я Киса. Видишь? Там дырочки сделаны. За ними мои глазки и рот. У меня самый лучший костюм. Купила подарок? Какой?

— Шоколадную фигурку в виде цветочка, — ответила я.

— Здорово, — обрадовалась Киса.

— Просим всех сесть, — ожил динамик. — Наш вечер, посвященный лучшему в Европе санаторию, начинается.

Глава 30

Если вы когда-то окончили консерваторию, то, будучи даже неудачливой, никому не нужной арфисткой, давным-давно забывшей про инструмент, не сможете наслаждаться пением звезды по имени Холли. Куда мне деть музыкальный слух? Старательно улыбаясь, я пыталась не слушать звуки, которые издавала девушка, но она орала так громко, что у меня заломило зубы.

— Пою только вживую, — объявила дива в перерыве между очередными зонгами.

Из моей груди вырвался тяжелый вздох. В некоторых случаях «фанера» бывает спасением для слишком нервного слушателя, который знает про мажорные и минорные тональности и не путает тональный круг с тональным кремом. Когда на сцене появилась Маргарита в бархатном платье и объявила:

— А сейчас проводим лучшую звезду России аплодисментами, — я на радостях так забила в ладоши, что сломала ноготь на указательном пальце.

— А теперь смотрим пьесу, посвященную санаторию, — провозгласила Лиза, тоже появляясь на подмостках. — Кто угадает, как она называется?

— Теремок, — закричала я, до сих пор испытывая ликование от известия, что Холли более не издаст ни звука.

Елизавета повернулась к кулисе и повторила:

— Кто угадает, как она называется?

— Теремок! — снова отозвалась я.

— Женщина, замолчите, — прошипела полная тетка в ярко-красном платье, которая сидела рядом. — Что вы визжите? Вопрос задали детям! Так спектакль начинается.

Я прикусила язык.

— Кто угадает, как она называется? — в третий раз спросила Лиза.

— Теремок! — вырвалось у меня.

Честное слово, не понимаю, как это произошло!

— Госсспроди! — прошипела тетка. — Вот повезло! Досталось место около умственно отсталой бабы.

— Инна, замолчи, — велел мужчина, который сидел слева от сердитой особы.

— Теремок, — повторил из-за занавески тоненький голосок.

Красные бархатные портьеры разошлись, я увидела желтый шар на тонких ножках.

— Теремок, теремок, — запела тоненьким голоском девочка, — он не низок, не высок, в нем живет Колобок! Ко-ло-бок!

— Госсспроди! — протянула Инна. — Кто выпустил на сцену анпофеоз фальшивости! Ребенок исполняет не в тацию!

— Наверное, вы хотели сказать, что апофеоз поет не в терцию, — не удержалась я. — Кстати, девочка не издала ни одной неверной ноты. Голос у нее не развит, но со слухом полный порядок.

— Госссподи! — прошипела тетка. — Она еще со мной спорит! Да я преподаю пение!

— Ой, как здорово! — воскликнула я. — Что такое тация?

— Объяснить вам азы музыки? — прищурилась Инна.

— Да, пожалуйста, — смиренно попросила я.

— Тация — это тация, — заявила тетка, — вам не понять.

Как правило, я не связываюсь с людьми, которые ведут себя, как Инна, но сегодня меня черт дернул за язык.

— Термина «тация» в музыке нет. Есть терция, музыкальный интервал шириной в три ступени. Она бывает большой, содержит два тона, малой на полтора тона. На базе большой терции строится мажорный лад, отсюда название «мажорная терция», малая терция именуется минорной...

— Госссподи! Она выучила музыкальный словарь, — засмеялась Инна. — Женщина, у вас невроз языка? Никак не заткнетесь?

— Инна! Прекрати, — велел супруг.

— Она первая начала! — разозлилась его жена. — Зачем орала: «Теремок», «Теремок»! Если дура, сиди дома.

На сцене тем временем вовсю шло представление. Дети, одетые в костюмы зверей, пели, плясали, и наконец дело дошло до финала. Появился медведь. Его роль исполняла врач, которую я приняла за настоящего хищника. Я думала, что тетя Топтыгина сейчас раздавит кусок картона, на котором кто-то нарисовал кривую избушку, но доктор громко продекламировала:

— Наш санаторий нужен всем. Приходи сюда лечиться... Кто?

— И ворона, и лисица! — вспомнила я. — И жучок, а паучок...

Все зрители уставились на меня.

— Госсспоми! Опять она! — закатила глаза моя соседка. — Теперь Пушкина декламирует.

— Это Корней Чуковский, — уточнила я.

— Госсспоми! Она со мной спорит!

— Приходи сюда лечиться, — повторила врач, — и инфаркт, и поясница, есть у нас и стоматолог, и веселенький онколог, в кабинете бормашина, ею управляет Нина, в коридоре ходит Лена, ей подвластна гигиена. Все для вас, и для ушей, и для рождения детей. Приходите в «Теремок», скидок тут большой возок. Вас мы вылечим на раз, будет глаз как ватерпас. А теперь давайте дружно скажем все...

— Лечиться нужно, — закричали хором дети, — и не страшно, и не больно, будете вы в «Теремке» довольны, здесь и отдых и лечение, каждый день всем печенье.

— Браво, — зааплодировала Маргарита, выходя на сцену, — а теперь сюрприз!

Доктор в костюме медведя быстро поставила в центре подмостков стеклянную емкость, внутри которой лежали желтые пластмассовые контейнеры, явно вынутые когда-то из шоколадных яиц.

— Сейчас дети вручат подарки, — пояснила Лиза. — Первая у нас Киса — Колобок. Начинай, дорогая. Снимите с нее костюм.

Врач живо убрала шар, который надели на девочку. Кисуля засунула ручонку в аквариум, вытащила «патрон», ловко открыла его, достала бумажку и прочитала:

— Инна, мама Филиппа.

Моя соседка вскочила:

— Я здесь! Уже бегу! Что дадут?

— Сейчас, — пообещала Кисуля, сносилась за кулисы и вернулась с упаковкой, в которой находился цветок из шоколада, который я купила в кафе.

— Это вам! — воскликнула девочка.

— Пирожное! — обрадовалась толстуха.

— Инна! — предостерегающе воскликнул муж. — Вспомни слова доктора: минус двадцать кило, иначе ноги подкосятся.

— Госссподи! — произнесла коронное слово моя соседка. — Я давно на диете! Вау! Шоколадная фигурка!

— Не ешь, поросеночком станешь, — усмехнулся супруг, — жирным таким! Бройлерным.

— Госссподи! Бройлеры — это коровы, — отмахнулась его супруга, схватила подарок, одним махом откусила добрую половину и начала жевать.

Лиза решила ускорить процесс:

— Спасибо, Киса, спасибо, Инна. Теперь подарок вручает Филипп.

Мальчик, который изображал зайчика, вытащил бумажку и начал заикаться:

— Ев... ла... Ев... мп... мама Кисы!

Я помахала рукой:

— Иду!

И тут Инна, которая до сих пор стояла на сцене, громко чихнула.

— Мамочка! У нее СПИД! — завопила женщина, сидевшая в первом ряду. — Оля, Оля, скорей сюда!

Девочка, одетая лисичкой, со всех ног кинулась к матери.

— СПИД, — зашелестели в зале, — Коля, Ира, мы уходим.

— Подождите, — занервничала Маргарита, — это полная чушь! Вероника, что вас навело на мысль о синдроме иммунодефицита человека?

— Сама глянь! — огрызнулась мамаша, несясь на всех парах по проходу и таща за собой ребенка. — У нее пена изо рта лезет. Я видела один раз, как мужика перекорчило, он себе нос откусил!

Я перевела взгляд на Инну и ахнула. По ее подбородку на самом деле ползла лавина пузырей.

— Возможно, это эпилепсия, — испугалась Маргарита, — надо даму срочно уложить, вдруг она упадет, вот бутылка с минералкой, глотните.

Инна схватила воду.

— Нет у нее эпилепсии, — возразил муж без особого волнения, — суставы, диабет, вредности с глупостью море. Но не припадочная она.

В ту же секунду его жена начала кашлять и села на сцену, пены на ее лице стало еще больше.

Лиза опрометью кинулась за кулисы и притащила стакан с водой.

— Скорей, скорей, еще выпейте. Маргарита, позови Олега Сергеевича.

— Уже занимаюсь, — ответила Борисова, держа мобильный около уха.

— Инка, не пей, — распорядился муж и только сейчас встал из кресла. — От воды только хуже стало, пузырей море поперло.

Но супруга залпом осушила стакан и простонала:

— Еще!

Через пару секунд Елизавета принесла большой графин, хотела наполнить стакан, который Инна держала в руке, но та бросила его, выхватила у Лизы графин и принялась жадно пить.

— Ну, блин! — рассердился Николай, поднимаясь на сцену. — Что ей ни скажу, всегда наоборот сделает. С одной стороны, житья никому от вредной бабы нет. С другой — это иногда полезно. Когда машину покупали, я сразу сказал: «Никаких джипов», и мы купили внедорожник. Чего это у нее изо рта лезет? Со злости небось.

Или сожрала запрещенку! Инке врач худеть велел, а она, естественно, не послушалась! Мать, говори, какую пакость тайком хавала?

Жена не ответила, она продолжала кашлять.

— Она только шоколадку откусила, почти всю сразу, — испуганно уточнила Киса, показывая на небольшой кусок «цветка», который упал на сцену. — Наверное, много съела. Столько нельзя. Мне не разрешают есть больше двух маленьких конфеток за раз, и то не каждый день. Дядя врач медведь, вы спасете тетю? Хоть она и вредная, но жалко ее.

— Обязательно, — пообещала доктор, наклонилась, подняла остаток подарка, который я купила в кондитерской, понюхала его и пробормотала:

— Может, протух? Запах какой-то странный.

Николай выхватил у эскулапа огрызок шоколадки.

— Какао не портится, оно только вкус теряет и аромат.

Врач потерла пальцы, потом схватила кувшин, плеснула на свою руку воды и воскликнула:

— Да это же...

Глава 31

— Что она слопала? — рассмеялся Костин, которому я сегодня днем в лицах изобразила вчерашний праздник.

— Мыло, — пояснила я.

— Ржунимагу, — простонал Вовка, — Лампа в своем репертуаре! Зачем ты угостила бабу тем, чем руки моют?

Я начала оправдываться:

— Купила подарок в кондитерской, думала, это пирожное, оно пахло шоколадом, кассирша подарок упаковала в фирменную коробку. А ты бы что подумал, увидев рядом с эклерами-корзиночками цветок темно-коричневого цвета с ароматом какао? Правда, владелица заведения на сотрудницу злилась, когда я фигурку забрала, сказала: «Теперь лавандой вонять не будет». Но я подумала, что она просто злая. Лавандой понесло, только когда тетка жевать подарок начала.

— Ну... — протянул Вовка, — я бы его попробовал, лизнул разок.

— Ты всегда так делаешь со сладостями? — опешила я.

— Непременно нюхаю и стараюсь хоть крошку на язык положить, — сказал Костин.

— Никогда больше не приноси мне кексы, — отрезала я, — не хочу есть то, что ты облизал. После представления я помчалась в магазин, хорошо, что он до полуночи был открыт. Вызвала владелицу кондитерской, показала ей огрызок цветка. Тетка чуть не убила кассиршу, орала: «Я запретила ей тут своим мылом торговать. Так она по-прежнему ею сваренное барахло клиентам втюхивает! Моей фирменной упаковкой пользуется. Уволила бы ее! Да не могу! Крестная мать я дуре!» Девушка завопила в ответ: «Покупательница сама виновата, я объяснила подробно, что это мыльце». Я разозлилась еще сильнее: «Неправда! Такого не было!» Кассирша налетела на меня: «Неужели вы не слышали? Я сказала следующее: соаповое изделие вашим именем назову». Соаповое! Я растерялась: «И что? Когда вы про мыло сказали?» Девушка к хозяйке повернулась: «Кто виноват, что клиентка тупая? Уж точно не я! Ежу понятно, если соаповое, значит, мыльное».

— Соаповое? — удивился Володя. — Не знаю такого слова.

— Я тоже не знала, — вздохнула я, — продавщица в конце концов заорала: «Соар по-английски — «мыло»!¹ Некоторые жители России, желая продемонстрировать свой ум, образование, принадлежность к числу тех, кто постоянно летает за границу, начинают разговаривать на безумном суржике, жутко коверкая слова на иностранном языке, которым не владеют. Не так давно я услышала от одной девушки, одевшейся ну прямо как модель из гламурного журнала: «Пора линчевать, зови Катьку!» Я оторопела. Блондинка что, член организации ку-клукс-клан? Кого она сжечь собралась? Но уже через пару минут до меня дошло: красавица хочет есть. Не говорить же: «Пошли пообедаем»: Не модно это. Появились у нас члены стаи полиглотов, которые изобретают удивительные «английские» слова. Я еще могу понять при-

---

¹ S o a p — «мыло».

зыв отправиться «ланчевать». Но кое-кто совсем уж креативен. Кассирша из кондитерской явно принадлежит к семье разбушевавшихся полиглотов. Она изобрела прилагательное «соаповый». А я, как на грех, по-английски могу произнести только «Хелло!». Поверь, я совершенно не собиралась никого угощать цветком из мыла. Это случайно получилось.

В дверь номера постучали.

— Входите, — крикнула я.

Появились Маргарита и Лиза, на лицах у обеих было одинаковое выражение.

— Что-то случилось? — спросила Рита.

— Вы просили нас вдвоем зайти, — подхватила Елизавета. — Неужели и здесь труба течет?

— Кровать сломалась? — предположила свекровь. — Или вам кто-то нагрубил? Не сомневайтесь, хам немедленно лишится работы.

— Нам просто надо поговорить, — сказала я, — садитесь, пожалуйста.

Женщины переглянулись и устроились в креслах.

— Муж Евлампии владелец крупного детективного агентства, — начал Костин, — я его правая рука. Лампа часто помогает супругу. Сразу объясняю, Макс Вульф руководит большой структурой, он не жалеет денег на привлечение лучших специалистов, на оснащение лабораторий. Я же ранее служил в полиции, у меня там до сих пор много друзей. С одним из них, Виктором Карповым, я вас познакомлю. Виктор Сергеевич!

— Тут я, — пробасил Витя, входя в гостиную, — роскошно у вас!

— Пятизвездочный Теремок, — улыбнулась я.

— Очень у вас хорошая коллекция криминальных романов в спальне у Лампы, — продолжил мужчина, — сейчас с интересом книги изучал. Всем добрый день!

— Здравствуйте, — хором ответили владелицы гостиницы.

— Наша беседа — не допрос, — предупредил Костин, — мы не в кабинете у Карпова.

— Перестаньте ходить вокруг да около, — перебила его Маргарита. — Что случилось?

— В ходе одного расследования вдруг всплыла старая семейная история, — начала я, — смерть Льва Валентиновича Бракова, композитора. Лиза, вы помните своего свекра?

— Я не видела легенду советской эстрады, — ответила Королева, — отец мужа скончался до того, как я вошла в семью. Но хорошо знаю, что он был гений. Маргарита до сих пор скорбит о супруге, она более никогда не выходила замуж.

— Может, просто ее никто не звал? — достоверно исполнил роль хама Костин.

Но Рита не обиделась.

— Желающих было много. Молодая красивая вдова с деньгами, на такую добычу женихи стаями слетались. Но расписываться с каким-то балалаечником? Это значит понижать планку. Я жила с гением. Лева одним словом мог открыть человеку дорогу на сцену или закрыть ее. Последнее супруг делал крайне редко, он всегда излучал доброту. И после такого мужа, яркого, умного, богатого, связывать судьбу с не пойми кем? Никто из претендентов на мою руку не смог стать лучше Льва. Я владела бриллиантом, не хочу стразов! Не принадлежу к числу тех, кому все равно, с кем делить свою жизнь, лишь бы он брюки носил.

— Хорошая жена, как правило, идеализирует мужа, — заметил Виктор, — у меня другие сведения о Бракове. В деле, которое на него завели незадолго до смерти, есть свидетельства разных людей. Композитор был нетерпим к чужому мнению, хитер, даже коварен, любитель женщин, всем юбки задирал, злой, мстительный, с ним дружили, потому что его боялись: Лева шепнет кое-кому, и у того, кто с ним поругался, концертов не будет, об отвратительном нраве композитора легенды слагались.

Маргарита поморщилась.

— Умоляю вас! Завистники всегда найдутся. Лева не был мстительным, просто он имел сложный характер. Но вы когда-нибудь видели гения, который на облако похож? Или на зефир в шоколаде? Левушка всегда открыто высказывал свое мнение, гнал с эстрады тех, кто ни в одну ноту попасть не мог, не выносил пошлости в музыке. Конечно, его жесткая творческая позиция большинству людей на сцене не нравилась и...

В дверь постучали.

— Открыто, — крикнула я.

В комнату вошла женщина.

— Здрассти.

— А это кто? — бесцеремонно спросила Лиза.

— Думаю, ваша свекровь узнала нового члена нашей дружной компании, — заметил Костин.

— Впервые ее вижу, — отрезала Маргарита.

— Правда? Значит, в то время, когда мы с тобой общались, ты слепой была? Я Марта Елкина, — представилась гостья.

Рита наморщила лоб.

— Елкина, Елкина... что-то знакомое... где-то я это слышала.

— Хватит комедию ломать, — без обиняков заявила Марта, — я знаю шалаву Маргаритку как облупленную. И видела, как твой муженек Марианну Магэш убил.

Вдова встала.

— Не понимаю цель дурацкого спектакля, который тут затеяли, но участвовать в нем не желаю. Прощайте! Лиза, пошли!

На пороге гостиной появилась новая фигура, на сей раз мужская.

— Ритка, уж поверь, тебе лучше снова в кресле угнездиться.

— Кальман! — вырвалось у Борисовой. — Какого дьявола...

— Сядь на место, — велел Иванов.

— Не тебе мне приказы отдавать, — процедила бывшая любовница.

— Просто дам тебе совет, — сказал бывший следователь, — вспомни, Ритка, всякий раз, когда ты пальцы веером держала, ну всякий раз такая фигня выходила. Если ты уйдешь, все равно я про смерть Льва присутствующим расскажу и не забуду сообщить про то, как безутешная вдова самоубийцы руки покойника в растертых таблетках пачкала.

Маргарита сжала кулаки с такой силой, что у нее побелели костяшки пальцев, и опустилась на диван.

— Он бредит! И врет! Зачем мне на руки Льву «Атарил» сыпать!

— Откуда вы знаете, что речь идет об «Атариле»? Никто названия лекарства не произносил, — вмиг ожил Карпов.

Рита широко распахнула умело подкрашенные глаза.

— Ангел мой! Из моей памяти даже каленым железом не выжечь то, как именуется дрянь, от которой случайно умер мой обожаемый муж.

— А заодно и сын, — добавил Карпов, — только не надо говорить про то, что оба ошиблись и слопали больше таблеток, чем надо.

Лиза уставилась на свекровь.

Глава 32

— На что вы намекаете? — вспыхнула Борисова.

— Какие уж тут намеки, — удивился Карпов, — беседа у нас без обиняков. Лев Валентинович отравился «Атарилом». Криминалисты подтвердили: он растворил пилюли в воде, стакан сам взял, выпил спокойно. Никто его не принуждал. За суицид никто его смерть не принял. Просто человек по ошибке много таблеток выпил. И с Валентином та же история, он ушел из жизни с помощью «Атарила». Немного странный выбор. Когда умер Лев Браков, это лекарство являлось новейшим, в России его не производили, экспортировали из Индии. Стоили таблетки дорого. А на момент кончины Валентина в аптеках была масса препаратов, которые работают лучше «Атарила». Про последний кардиологи почти забыли. Фармакология идет вперед, даже бежит. Мой батюшка, царствие ему небесное, отошел в мир иной, когда я еще в школу ходил. Отец от повышенного давления пил папазол. В те годы он считался прекрасным препаратом. Меня название смешило: папа зол! Вот я и запомнил. Это лекарство продается до сих пор, стоит копейки, но теперь больным выписывают другие пилюли. Папазол нынче как телега рядом с «Порше». Почему Валентин использовал «Атарил»? Его еще поискать надо! Самоубийцы часто действуют под влиянием минуты, ударило ему в голову: из окна выпрыгну! И к подоконнику бегом. Психологи знают, если в момент, когда человек раму открывает, его остановить, поговорить по-хорошему, бедолага жив останется. Три четверти тех, кого удалось откачать в больнице после приема повышенных доз снотворного, потом говорят:

— Спасибо, доктор, ну и дурака я свалял.

Значит, Валентин решил отравиться, пошел в аптеку, а там «Атарила»-то нет, непопулярные таблетки, их только в Интернете можно найти. Браков вернулся домой, начал шарить в Сети, потом пару дней ждал курьера. Да, некоторые самоубийцы действуют не под влиянием минуты, они твердо решили умереть, тщательно готовились и не остановятся, их не отговорить. Но это уже из области психиатрии. Хорошо, пусть ваш сын был человеком, одержимым маниакальной идеей лишить себя жизни. Но почему он, врач, не использовал современное лекарство? В аптеках их хоть лопатой греби.

— Зачем сыну аптека? — пожала плечами Рита. — Он в больнице служил, там и взял.

— Мы проверили, клиника не пользуется «Атарилом», — мигом отразил удар Карпов. — И вопрос вдогонку: по какой причине Валентин не запустил руку в запасы родной больницы? Он мог взять там мощное новое средство. Доктор обладал несноснейшим характером, но он опытный профессионал. Зачем ему «Атарил»?

— По какой причине вы задаете вопрос несчастной матери, потерявшей сына? — возмутилась Лиза. — Совесть у вас есть? Отстаньте!

Маргарита подняла руку:

— Дорогая, все нормально. Просто не могу понять, чего вы от меня хотите?

— Знаете, почему серийные маньяки в конце концов попадаются? — спросила я.

Елизавета повернула голову.

— В отличие от вас, мы с ними дружбу не водим.

Я проигнорировала выпад Лизы.

— Каждый негодяй когда-то совершает первое преступление. Он волнуется, боится, что его поймают. И если все проходит удачно, допустим, он отравил жертву «Атарилом» и не пойман, то в следующий раз мерзавец опять им воспользуется. Способ убийства маньяк меняет редко, потому что уверен — его метод безопасен. Ушел Валентин на тот свет один в один как Лев. Растворил таблетки в стакане, сам взял, сам выпил, никаких следов насилия.

— Что вы хотите сказать своими словами? — процедила Маргарита.

— Давайте послушаем Кальмана Иванова и Марту Елкину, — предложил Костин.

По мере того как бывший следователь и бывшая бэк-вокалистка делились информацией, у Маргариты вытягивалось лицо, а Лиза все сильнее ерзала в кресле.

Когда оба свидетеля закончили, Карпов решил подвести черту:

— Я занимался делом Валентина Бракова и выяснил, что его отец тоже добровольно ушел из жизни. Вначале я подумал о семейном безумии. Случается, что в одной семье какая-то ветка вся кривая. Бабушка-мать-дочь — с биполярным расстройством. Или прадед-дед-отец-сын — слышат голоса. И характеры у родных часто совпадают. Возьмем Браковых. Лев —

прекрасный композитор, борец с «фанерой», радетель за чистоту исполнения, нетерпимый к невеждам, бесталанным певунам. Если охарактеризовать Льва кратко: он был одержим гордыней, считал себя гением, остальных земляными червями, полагал, что талант дает ему право втаптывать в грязь тех, кого ангел при рождении не поцеловал в лоб. К слову сказать, люди такого склада редко решаются на самоубийство. А что с Валентином? Он уникальный диагност, стоял горой за пациентов, готов был загрызть каждого, кто спустя рукава заботится о его пациентах, жестко вел себя по отношению к коллегам, если те допускали ошибки, пусть даже крошечные. Говорил с пафосом, громко рассуждал о долге врача, постоянно подчеркивал: он никогда не совершал необдуманных шагов. Отец и сын имели разные профессии, но вели себя одинаково. Маргарите Федоровне отчаянно не повезло, вопреки пословице в нее угодило с разницей во много лет два снаряда. Сначала муж-убийца, потом сын-маньяк. Непростая ситуация. Но из нее нашелся выход. Если человек умирает, то уголовное дело на него не заводят из-за смерти основного подозреваемого. Суд не состоялся, приговор не зачитывался. И Лев, и Валентин легли в могилу в статусе обычных граждан, не преступников. Со старшим Браковым это отлично прокатило. Случайная смерть. Благодаря Кальману никто не докопался до правды. А вот с Валентином пришлось изображать самоубийство, потому что он, опытный кардиолог, никак не мог больше, чем надо, пилюль слопать. Но почему-то никто не удивился, что врач использовал древний препарат. В биографии Маргариты нет темных пятен — «муж-убийца» и «сын-маньяк». Она может спокойно заниматься своими гостиницами.

— Поток бреда, — резюмировала пожилая дама.

— Я сохранил диктофонную запись, — заметил Кальман.

— Подделка! — отрезала Рита. — Пошли, Лиза! Вставай, нам пора!

Невестка не шелохнулась, она сидела с абсолютно прямой спиной и заговорила, не меняя позы:

— Валечка был прекрасным мужем. Да, иногда мы ссорились. Я обижалась, что супруг живет на работе, упрекала его: ты любишь пациентов больше, чем меня. Он отмахивался. Весьма говорливый в клинике, дома Валя предпочитал молчать. И это меня тоже порой до слез доводило. Я начинала к нему приставать:

— Зайка, скажи хоть слово!

Он вздыхал:

— О чем?

— Как ты меня любишь?

— Очень.

— Подробнее.

— Сильно.

— Этого мало.

Вот такой был диалог, как правило. И заканчивался он всегда одинаково. Я принималась плакать, Валя уходил. Я бежала за ним, пыталась объяснить, что мне нужно его внимание... Один раз я так зарыдала, что из носа кровь пошла, а муж даже не шелохнулся. Я заорала:

— Ты камень! Почему не видишь, как мне плохо? Прошу хоть каплю интереса ко мне.

Он как будто выплюнул:

— Не так просят!

И заперся в кабинете. Здорово, да? Но потом муж вдруг пригласил меня к себе в отделение на экскурсию. Я увидела больных в трубках, на аппаратах, без сознания, родственников, которые тряслись в коридоре, и внезапно поняла: я жуткая эгоистка. У супруга неимоверно тяжелая профессия, от его действий зависит жизнь человека. И перестала истерить. Мы стали очень счастливой парой. Жили прекрасно. Однажды Валентин приехал домой непривычно рано, выключил телевизор, который я смотрела, и коротко сказал:

— Поговорить надо.

У меня екнуло сердце. Все мужчины ненавидят эту фразу и почти никто ее не употребляет. Сие высказывание из женского репертуара. Но мы с Валей никогда не беседовали на вечные темы о любви, смысле жизни, браке... Вели бытовые разговоры: что купить, что на ужин съесть, куда отдыхать полететь. И вдруг! «Поговорить надо». Я подумала: «Он завел любовницу, хочет развода. Не отдам мужа. Пусть хоть гопак тут пляшет, деньги предлагает, квартиру оставляет, никогда его не отпущу». Потом меня осенило: «Дрянь, которая в нашу семью влезла, — беременна. Валя честный человек, он хочет на любовнице жениться. Дать младенцу свою фамилию». И тут мне крыть нечем. У меня малыш даже по ЭКО не получился. Сделала несколько попыток, все впустую.

А он повел беседу совсем не о том, что меня взбудоражило. Завел речь о пациентах, кричал, как он в них душу вкладывал, из когтей смерти вырвал. Вот, например, Ольга Наумова. Валентин ее после тяжелого сердечного приступа на ноги поставил, объяснил учительнице: ей нельзя более с утра до ночи работать, надо отказываться от репетиторства и простужаться очень опасно. Ушла Ольга домой вполне бодрой. И что? Дочь ее, Раиса, лентяйка, хабалка, матери скандалы закатывала:

— Ни фига не делаешь, дома сидишь, а я без денег! Квартиры своей нет, личной жизни поэтому никакой.

Наумова опять принялась по городу носиться, схватила воспаление легких, на его фоне инфаркт, снова у Бракова очутилась, рассказала ему, что дочку пожалела, пахать начала, чтобы Раечка могла квартиру снимать.

Валентин дико рассвирепел, нашел в истории болезни телефон девицы, поехал к ней, скрутил, заткнул рот, стал мучить. Хотел дочери показать, как Ольге плохо пришлось, как у нее все болело, а она бегала по урокам, терпела. Раиса умерла. Валентин повесил ей на шею табличку «Наказана» и понял, что он не подумал, как унести труп.

— Зачем? — не выдержала я. — Почему он тело в квартире не оставил?

— Вы еще не сообразили, что у Валентина крышу сорвало? — огрызнулась Лиза. — Нельзя его нормальной меркой мерить!

— С больной головой, но сообразил грабителя Илью вызвать, — не сдалась я.

— Из институтского курса психиатрии я хорошо помню, что маньяки нормальные люди, пока ими страсть не овладеет, — устало произнесла Елизавета. — Валя сначала ушел из квартиры, было утро, он приехал на работу, а потом запаниковал. В апартаментах его следов полно, приедет полиция, могут найти, кто там был. И вдруг поднялся шум, врачу Михаилу Аркадьевичу в столовой плохо стало, его в реанимацию понесли, из кармана его халата телефон выпал. И тут Валю осенило. Он с Михаилом был в хороших отношениях. Бракову одна его пациентка, которую Зальц просил посмотреть, рассказала, что ее сын занимается грабежами, девушек одурманивает, драгоценности снимает, она об этом недавно узнала, и ей плохо стало. Валентин взял в отделении карточку Нестеровой, нашел там номер Ильи, позвонил, велел парню забрать труп Раисы и в центре города оставить.

— Зачем? — опять не выдержала я.

— Чтобы все поняли: Раиса наказана за то, что мать убила, нельзя так себя вести, — мрачно пояснила Елизавета.

Я отвернулась к стене. Да уж! Какой с сумасшедшего спрос? Не стоит упрекать кардиолога в отсутствии всякой логики. Удивляться: как бы люди узнали, кто умер? Никакой информации о покойной нет. Зато теперь мы знаем, как звали жертву, которую Илья закопал на огороде. Елизавета продолжала:

— Потом муж рассказал про Фишкина, как лечил его, ночей не спал и вытянул мужчину из могилы. У Николая Олеговича была жена Матрена. Скандальная безмерно, из-за нее супруг инфаркт заработал. Валя предупредил скандалистку: если она язык не прикусит, то вдовой станет, он думал, что тетка испугается. Ага! Как же! Вскоре Фишкина опять по «Скорой» доставили. Каталку в реанимацию везут, Матрена сзади идет, орет на беднягу... Умер Николай.

И тогда Валя решил: не жить гадине. Он ее «случайно» на улице встретил, в машину свою посадил, угостил соком со снотворным и отвез в избу, которая в лесу неподалеку от «Теремка» стоит. Дом вместе с санаторием продавали. Там когда-то располагалась аптека. На месте санатория раньше больница загородная была, простая, советская. Маргарита ее снесла, возвела новое здание. Аптека же нетронутой осталась. Прямо не дом, а крепость: ставни железные, дверь, все снаружи на висячие замки запирается. Ну да и понятно почему, там лекарства хранились для клиники. В кабинете, где их выдавали медсоставу, мебель к полу привинчена. Строгие правила в советские годы были. Мало ли, схватит кто-то стул, даст им по башке провизору, стащит гору пилюль... Валентин ключи от старой аптеки взял, и все, о связке никто сто лет не вспоминал. Кому нужен старый дом? Вот мой муж его под свои цели и приспособил.

Чтобы Матрена поняла, как муж по ее вине страдал, Валентин ее пытал, требовал, чтобы она свою вину признала. Когда она умерла, Браков тело на шоссе бросил с табличкой «Наказана».

— Понятно, — протянула я. — Валентин сделал вывод из истории с Раисой, подготовил пыточную. И там же он потом замучил невестку Николаевой, которая свекровь отравила. Интересно, откуда он правду про нее узнал?

Елизавета пожала плечами:

— Этого он не рассказал. Но как-то выяснил, и очень на Олесю разозлился.

— Хорошо, — вклинился в беседу Костин, — до сего момента более-менее ясно. Валентин Львович был нездоров психически, убивал людей, которые довели своих родственников до смерти. Но, несмотря на состояние Бракова, в его действиях прослеживается некая логика. Он вылечил человека, а член семьи довел его до смерти. Наказан за это. Но при чем тут Галя Утятина и Лариса Гуркова? У них-то никто в клинике не лечился!

— Вы просто не знаете, — перебила его Лиза, — Валя консультировал в других медучреждениях, там познакомился с Федором Молотовым, поставил его на ноги. Федор решил отблагодарить врача, позвал его в ресторан «На облаках». Мой муж вежливо отказался, написал:

«Простите, я занят. И вам не стоит гулять до утра. Нужно режим соблюдать».

Федор Валентину в три утра прислал фото, он на нем с красивой девушкой, сразу видно — Молотов выпил, и подпись: «Доктор! Нельзя всегда правильно жить. Привет от меня и Ларисы Гурковой. Если захотите с красавицей познакомиться, то вот ее телефон. Ее услуги вам от меня в подарок». А в десять утра поступил звонок из больницы, где Федор лечился:

— Валентин Львович, можете приехать? Опять Молотова доставили.

У мужа выходной был, но он помчался на зов. Федор успел ему шепнуть: «Лариска такое умеет!» — и умер.

— Гудкова — девушка из эскорта, занималась в придачу проституцией. Ее наняли, она выполняла свою работу, — воскликнула я, — в этом случае Федор сам виноват.

Елизавета закатали глаза:

— Опять вы за свое. Нельзя с Валентина как с нормального человека спрашивать. Он понял, что Лариса шлюха, и пригласил ее к себе в гости в загородный дом. Но та сказала:

— Сначала надо встретиться на нейтральной территории, например в кафе.

Она приехала туда вместе с подругой. Валентин с девушками поговорил, такая, типа, светская беседа, как они живут, чем увлекаются, что читают, какое кино смотрят. Ему стало понятно: красавицы беспринципны. Им все равно с кем спать, лишь бы деньги платили. Гуркова ему показалась совсем мерзкой, Галина чуть лучше, но тоже хороша. Если их в живых оставить, они многих мужчин до смерти доведут. Федор-то по вине Ларисы умер. А Валентин, похоже, хорошее впечатление на проституток произвел. Ларка ему через пару дней звякнула, согласилась на свидание в загородном доме. Ну а дальше все шло по плану. Он угостил девиц соком со снотворным, спрятал в бывшей аптеке. Первой начал с Ларисой заниматься. Сказал на работе, что приедет на следующий день к обеду, якобы на консультацию ему в другую клинику нужно. Никто не удивился, Валентин часто консультировал. Он Ларису стал мучить, думал немного с ней позаниматься, на следующий день вернулся, а она умерла часов через пять. На дворе был день, труп на дорогу тащить опасно. Валя отложил это на вечер. Поехал в свою больницу, ему позвонила секретарь главврача и зашептала:

— Валентин Львович, вы где? У нас тут люди из полиции. Когда будете? Что вы натворили? Кого так отругали, что аж четверо мужиков прикатили? Родственника министра матом послали? Вы знаете, как я вас уважаю и ценю, поэтому и предупреждаю. Придумайте скорей какую-то себе отмазку. Ой, вы ну прямо как подросток безбашенный, делаете, что хотите!

Муж сразу понял — его хотят арестовать, помчался домой, все мне рассказал. И...

Глава 33

Елизавета начала тереть лицо ладонями.

— Однако, несмотря на больную голову, доктор был очень осторожен, — заметил Костин, — назвался странным именем Наказид да еще изменил внешность: бороду приклеил...

— Наказид — это от слов «наказание идет», — объяснила Елизавета.

— Маразм крепчал, — подвела я итог, — сначала он наказывал за больных, потом решил очищать мир от проституток, из-за которых люди умирают.

— У меня в тот момент лицо онемело, и с тех пор, как только наш разговор с супругом вспоминаю, анальгезия повторяется. Словно заморозку делают. Не знала, что Валентину сказать, когда правду услышала, а он спросил:

— Поможешь мне?

Вид у него был такой ужасный, что я перепугалась. Больше всего хотелось в этот момент удрать! Но я поняла: не смогу сбежать сейчас. Надо прикинуться, что я на стороне супруга, а завтра драпать. Собрала я в кулак все самообладание и заявила:

— Конечно! Сделаю все, что попросишь!

И тут звонок в дверь, Валя бегом в кабинет, по дороге крикнул:

— Это за мной. Задержи их на лестнице минут на десять. Сделай вид, что не веришь, будто они из полиции. Мне с мамой надо срочно поговорить! Объясню ей, что с Галиной делать и с трупом Ларисы. Он в доме-аптеке лежит, я его пока не вынес. Хотел сегодня, да не судьба.

Я у створки встала.

— Кто там?

В ответ:

— Открывайте, полиция.

Пришлось ваньку валять.

— Вы без формы.

Один из мужиков открыл «корочки», к домофону поднес.

А у меня ответ готов:

— Нынче любую фальшивку легко купить. Если вы настоящие сотрудники МВД, то, конечно, я впущу вас. Уважаю закон. Но, поймите, я хочу удостовериться, что вы реальные борцы с преступностью, а не уголовники, которые нас ограбить явились. Сообщите свои фамилии, я позвоню к вам на службу.

Ну и так минут тридцать. В конце концов пришлось их впустить. Мужчины не хамили, вели себя вежливо, даже на ботинки надели бахилы, которые с собой принесли. Перерыли все в кабинете и Валю увезли. Я бросилась звонить Маргарите, а та трубку отключила.

Утром в семь свекровь объявилась.

— Лизонька, в «Теремке» прорвало канализацию, срочно сюда.

Я провела бессонную ночь, все нервы в клочья разодрала, но голова почему-то четко работала, я сразу сообразила: не в сортире дело, Маргарита знает, что Валентина задержали, сын с ней беседовал, пока я полицию не впускала. Свекровь собралась со мной положение дел обсудить. По телефону нам секретничать нельзя, номера могли на прослушку поставить. Я подумала про тех, кто незримо сейчас в аппарате присутствует, и испугалась: вдруг уже вчера, когда Валя с Ритой говорили, кто-то уши грел? Правда, потом поняла, что мужа никто не слушал.

И понеслась в «Теремок».

Елизавета принялась яростно щипать свои щеки.

— Ну ничего не чувствую. Вообще ничего. Рита меня привела в этот номер, села в кресло и толкнула речь. Суть ее такова: надо спасать Валентина, он наделал много глупостей.

Лиза перестала терзать лицо и посмотрела мне прямо в глаза.

— Понимаете? Глупости! Убийство нескольких человек — это глупость. Глупость, и не более того. У меня горло перехватило, а свекровь спокойно так объяснила: в рекламе наших санаториев широко используется имя Валентина. Если его посадят, весь бизнес рухнет...

— Что ты несешь? — возмутилась Маргарита.

Лиза вскочила и подбежала к консоли, на которой стоял внутренний телефон и лежали буклеты.

— Хочешь сказать, что я вру? Смотрите!

Невестка схватила одну брошюрку и сунула ее мне.

— Кто на снимке? Читайте.

Я начала зачитывать текст:

— Главный консультант всех санаториев «Теремок», лучший диагност России, доктор Валентин Львович Браков...

Лиза отняла у меня брошюру.

— Хватит. Маргарита, я ничего не придумываю. Тут везде написано про Валентина.

— Верно, — дала задний ход свекровь, — но рекламный материал старый, я заказала новый. И тебя в «Теремок» не звала. Ты сама приехала! Я бежала к машине, мне адвокат звякнул, велел привезти в следственный изолятор спортивный костюм, тапки, еду, мыло. А тут ты с ревом: «Валечку увезли».

Лиза всплеснула руками:

— Знала, что ты врать гораздая. Но не в лицо же мне!

— Это ты брешешь! — покраснела Маргарита.

— Нет, — топнула ногой невестка, — ты мне звонила.

— Нет! Ты сама приехала!

Володя поднял руку:

— Дамы! Лучше обратимся к сути дела. Маргарита Федоровна, ваш сын упоминался в рекламе санаториев? Это правда?

Хозяйка насупилась.

— Да! Но я невестку сюда не вызывала! Она нагло лжет.

— Хорошо, — остановил ее Костин. — Что вы предложили Елизавете? Каков был итог вашей беседы?

— Да наоборот все было! — закричала Рита. — Она заявилась с воем: в сеть «Теремок» вложены общие деньги. Мои и Валентина с женой, это наш семейный проект, успешный. Мой сын лицо сети. Многие к нам ради бесплатной консультации Валентина приезжали. Если пойдет слух, что его арестовали, да еще за убийства, делу конец. В сфере медицинских, оздоровительных, косметологических услуг репутация имеет огромное значение. Надо было как-то избежать огласки.

Костин посмотрел на Лизу:

— Имела место подобная беседа?

— Да, — подтвердила та, — только эти слова не я говорила, а свекровь. И все было наоборот. Это Маргарита меня вызвала.

— Чушь и ложь! — заорала мать Валентина.

Лиза усмехнулась, взяла свой телефон и постучала пальцем по экрану.

— Внимание! Звук.

Из трубки донеслось сопрано Маргариты:

— Ну и попали мы с тобой! Натворил Валя глупостей. Если пойдет слух, что его арестовали, да еще за убийство, бизнесу конец...

Лицо Маргариты стало похоже на сгнившую свеклу. Я внимательно слушала запись.

— Слушай меня. Я все улажу. Не первый раз! Спасу бизнес. Надо решить, что лучше: наша счастливая жизнь, в которой мы ездим отдыхать за границу, позволяем себе много чего и уважаемы в обществе. Или нищета, сбор посылок на зону, презрение окружающих. Я свой выбор сделала.

Лиза ткнула пальцем в экран, звук стих.

— ...! ...! ...! — заорала Маргарита.

— Ой, какие слова она знает, — восхитилась Елизавета.

— Врет мерзавка! — взвизгнула Рита. — ...! Брешет! ...! Она меня вынудила. Такие вещи начала говорить: «Знаю, это ты Льва Валентиновича отравила, мне супруг правду выложил!»

Маргарита вскочила, потом опять села, слова из нее теперь лились потоком. Если отфильтровать ругательства, которыми швырялась Борисова, суть была такова: оказывается, Валентин сообщил жене историю смерти своего отца. Рита была шокирована. Она не понимала, как сын узнал правду. Ей очень хотелось расспросить Валентина, но тот находился за решеткой. Лиза прямым текстом намекнула, что с Валентином надо поступить так же, как со старшим Браковым. Сын Льва психически болен, он маньяк. Если адвокат добьется для него подписки о невыезде, Валя очутится дома, он может отправить на тот свет очередную несчастную. И, возможно, он покусится на жизнь матери или жены.

— Это ее идея! Не моя! — кричала Рита. — Она предлагала лишить Валю жизни.

— Тишина! — гаркнула Лиза и включила диктофон.

Комнату вновь наполнил голос Маргариты:

— Надо сделать так, чтобы Валентина выпустили из тюрьмы. Если сейчас на шоссе найдут труп кого-то со следами насилия, какие наносил Валечка, то следователь подумает, что арестовал не того. Сына отпустят, а потом необходимо решить проблему, как со Львом Валентиновичем. В старой аптеке есть тело одной бабы. Она убита Валей. Ни один эксперт не подкопается...

Елизавета повернулась к Костину:

— Больше записей нет. Но и этих достаточно, чтобы все понять.

Маргарита открыла-закрыла рот, потом произнесла:

— Это подстроено. Текст порезан. Это Лизка первой сказала: «Надо вытащить его из тюрьмы. Если на шоссе найдут труп женщины...» Когда она закончила вещать, спросила: «Ты поняла?» Я кивнула. Она сказала: «Повтори, что нам надо сделать, хочу удостовериться, что недопонимания между нами нет». И я, как попугай, воспроизвела ее речь.

Лиза протянула трубку Костину:

— Отдайте запись специалистам. Они сразу увидят, что я ничего не трогала.

Володя взял аппарат.

— Маргарита Федоровна, если вы расскажете, где находится Галина Утятина, то облегчите свою судьбу.

— Кто? — заморгала Борисова.

— Мы ведь ее найдем, — пообещала я. — «Теремок» перевернем вверх дном, изучим каждый сантиметр. В агентстве есть специалисты по обыскам. Они собаку съели на поисках тайников.

— В ваших интересах вернуть Галину живой, — подхватил Костин.

— Небось она ту, кого вы ищете, давно на тот свет отправила, — заметила Лиза, — а тело где-то спрятала. Маргарита в последнее время часто куда-то уезжала, говорила, что плохо себя чувствует, по врачам бегает.

— Нет, нет, нет, — завопила Маргарита, — я ни в чем не виновата!

— Еще скажи, что Лев Валентинович сам в гроб улегся, — не выдержал Кальман.

— Нечего пасть разевать, — взвизгнула хозяйка «Теремка». — Изображаешь из себя ангела? Да! Я Леве принесла стакан со снотворным. А как я должна была поступить? Разрешить арестовать мужа? Навесить на себя и сына ярмо «семья преступника»? Но Валю я не трогала. Нет, нет, нет! К сыну домой сто лет не заходила.

Я тяжело вздохнула.

— Маргарита Федоровна, ваш сын и невестка имеют квартиру в дорогом комплексе, там есть лифтер. Консьержку опросили, она сказала, что вы приезжали к Валентину в тот день, когда он умер от инфаркта, который случился из-за приема большой дозы лекарства. Пенсионерка вас знает, в курсе, что вы владеете разными здравницами. Она сообщила, что вы посетили сына, просидели у него примерно полчаса и уехали, потом в апартаменты вернулась жена доктора, и от нее сразу поступил вызов на пульт «Скорой».

— Теперь ясно, кто постоянно врет? — скривилась Лиза. — Только что, не поморщившись, моя свекровь заявила: «К сыну сто лет не заходила».

— Ну да, заглянула, но это визитом не считается, — сказала Рита, — я примчалась по просьбе Елизаветы. Она мне позвонила, сообщила, что Валя очень устал, лег спать, а на плите кипит суп. Елизавета уехала по делам, забыла выключить горелку. Попросила: «Скорей поезжай к нам, погаси огонь». Я удивилась:

— Позвони Вале, он же дома.

Елизавета возмутилась:

— Я же только что объяснила: он спит. Чтобы мужа телефон не разбудил, я убрала на городской трубке звук, его мобильный отключила, пожалуйста, поторопись.

И я поспешила. Вошла в кухню, и что? Ничего на плите нет! Начала Лизин номер набирать, слышу в ответ: «Абонент вне зоны доступа». Заглянула в спальню, Валя спит. Ну я и подумала: мальчик встал в туалет, увидел, что варево кипит, выключил конфорку и снова лег. И уехала. Да, я приезжала в квартиру, но по просьбе невестки, и провела там минут десять. Лифтерша врет! Я полчаса не сидела. Вот она меня внизу задержала, клянчила нагло бесплатные путевки. Аж пять штук, на месяц. Я отказала ей. Консьержка разозлилась и оболгала меня.

— Только что вы говорили, что давно не посещали квартиру Валентина, — напомнила я.

— Забыла, — жалобно пролепетала владелица «Теремка», — совсем из головы выпало.

Невестка поднялась.

— Слышали? Все у нее врут, и я, и дежурная. И как может выпасть из памяти поездка к Вале, который в тот день умер? Она забыла? А я очень устала. Голова заболела. И надоело постоянно Риту на лжи ловить. Могу итог подвести. Старший Браков избежал суда и следствия, моя свекровь убила Льва Валентиновича, потому что не хотела прослыть вдовой убийцы. Как вы недавно говорили, серийные маньяки не меняют один раз избранный способ расправы над жертвами. А я вот подумала: если человек однажды решил свою проблему, убив кого-то, то, когда у него опять возникнет схожая ситуация, он снова станет киллером. Смог перешагнуть единожды грань, которая отделяет нормальную личность от психа, способного уничтожать себе подобных? Все! Теперь остановиться трудно. Маргарита думает только о себе, об отелях, деньгах, боится, что ее бизнес пошатнется. Убивая мужа, она не хотела стать изгоем общества, не желала слышать за спиной шушуканье, намеревалась сохранить свое положение в обществе...

— Только ради сына, — прошептала Рита.

— Ой, да ладно, — отмахнулась Лиза, — хватит врать! Ты исключительно о себе, любимой, заботишься! Когда Валентина отпустили, ты приехала к сыну в гости и угостила его лекарством. Один раз уже так делала, второй легко повторить. Препарат вызвал инфаркт. Она придумала тело Ларисы на шоссе бросить не для того, чтобы Валю из-под удара вывести! Нееет! Маман надеялась, что сына отпустят, она его, как мужа, отравит и снова останется чистенькой. А я, дура, ей помогала. Потому что любила супруга, даже такого, как Валя, несчастный, разве он в своей генетике виноват? Конец истории. Делайте с ней что хотите. А я сейчас уеду в квартиру, где жила до брака с Валентином, и постараюсь прийти в себя.

— Не я, Елизавета все придумала, — прошептала свекровь. — Ты намерена уехать? Только сию секунду верни...

Рита сделала вдох.

— ...верни... мне... прямо сейчас... отдай...

Борисова зашаталась, Костин вскочил и поддержал ее.

— Лампа, зови врача.

Я схватилась за телефоны.

— Не волнуйтесь, — спокойно сказала Елизавета. — Перед вами очередной спектакль.

— «Скорая» едет, — перебила ее я, посмотрела на Маргариту, которую Володя положил на диван, и вдруг поняла: ей совсем не так плохо, как она пытается изобразить.

Глава 34

На следующий день утром Киса убежала на занятия, я начала спешно складывать вещи и вдруг услышала стук в дверь.

— Откройте, Лампа, это Елизавета, — донеслось из-за створки. Я открыла.

— Слушаю вас.

— Уезжаете? — грустно осведомилась молодая женщина.

— Да, — коротко ответила я, — скоро появятся специалисты с аппаратурой, начнут поиск тайника, где может находиться Галина или ее труп. Придумайте, как вы объясните людям присутствие в отеле парней со всякими странными штуками в руках.

— Скажу, что мы собираемся менять проводку, а ее в плане нет, сейчас составляем, — сказала Елизавета. — Лампа, у меня огромная просьба к вам...

— Знаю, я не болтлива. Но не уверена, что вам удастся скрыть то, что произошло, — перебила ее я.

— На днях я закрою этот «Теремок» на ремонт, — пояснила Елизавета, — у остальных гостиниц названия слегка разнятся: «Теремок в лесу», «Теремок на озере» и так далее. Всего пять здравниц. Очень надеюсь, что в случае шума клиенты не сопоставят их с головным «Теремком», который закрыт на обновление.

Мне надоело слушать Лизу.

— Прошу меня извинить, я намерена уехать сразу после обеда, времени на сборы мало.

— Конечно, конечно, — кивнула Елизавета, — я просто хотела сказать вам «до свидания».

— Прощайте, — сказала я.

После ухода Лизы я продолжила складывать чемодан и была вынуждена снова отвлечься на стук в дверь. На сей раз ко мне рвался следователь Карпов.

— Привет, выспалась? Угости кофейком, иначе я засну, — на одном дыхании выпалил он, — шикарная в твоем номере машинка. В баре тут мерзкое пойло подают. Ну, значит, мы поймали Призрака дорог.

Я остановилась на полпути к шкафчику.

— Кого?

— Призрака дорог, — повторил Виктор, — вот уж глупая манера давать серийщикам клички. Весной я ходил на семинар по психологии, там профессор объяснял: нельзя преступника приближать к себе. Если подозреваемого нет, никакого имени во время следственно-оперативных действий не всплыло, не приклеивайте неизвестному прозвище. Это плохо со всех сторон. С одной — вы начинаете относиться к преступнику личностно, приписываете ему качества, которыми он, скорее всего, не наделен. «Шахматист». Так мои парни прозвали военного, он каждой жертве в карман-сумочку засовывал страницу из учебника по этой игре. А какое у нас мнение о шахматистах? Умные

люди просчитывают свои ходы намного вперед, дураки в шахматы не играют. У бригады
возникает ощущение, что она гоняется за человеком с мегамощным мозгом. Сами его обо-
звали, сами поверили, сами приуныли. И второе. У прессы повсюду есть информаторы. За
слив инфы платят. Кое-кто из наших продает
сведения репортерам. Выходит статья «Шахматист разыграл кровавую партию». Народ
в ужасе!

— Что твои люди придумали для Валентина? — перебила его я.

— Призрак дорог, — повторил Карпов, — я
ведь им запретил. А толку? Между собой так говорили, мне в уши гудели: «Имени нет. Нам его
что, "преступником" называть?» И чего? В газеты это попало! На телике в программе «Болтун»
так его величали и...

Я взяла местный телефон:

— Алло! Ресепшен? Зоопарк работает?

— Нет, — ответил женский голос, — у Вероники мать умерла. Ника попросила две недели
отпуска.

— Она куда-то уехала? — удивилась я, памятуя жалобы Ники на тотальное безденежье.

— Про нее не знаю, Алексей тут, но он вроде
в Москву подался на базу за кормом для животных, — объяснила администратор.

Я положила трубку на столик и поспешила
в прихожую.

— Ты куда? — удивился Карпов.

— Хочу побеседовать с женой егеря, — пояснила я, обувая сапоги.

— А мой кофе? — расстроился Витя.

— Напиток готов, — раздалось из гостиной.

— Вот тебе и ответ, — скороговоркой выпалила я, — поставь кружку под краник, нажми на зеленую кнопку.

— Лучше я с тобой отправлюсь, — решил Карпов. — Заодно объяснишь, почему куда-то нестись собралась.

Я притормозила.

— Стоп.

— Экая ты непредсказуемая, — хмыкнул Виктор, — то иди, то не надо.

Я снова схватилась за телефон, но только уже за мобильный.

— Вова, ты где?

— Здесь, — раздалось за спиной.

От неожиданности я чуть не уронила трубку, обернулась и увидела Костина, который стоял в холле.

— Как ты вошел в номер? — удивился Карпов.

— Дверь не заперта, — ответил Володя, — ее, как обычно, не захлопнули. Лампа с замками не дружит.

Я не обратила внимания на ехидное замечание, ну, не закрыла я за Карповым дверь. И что? Есть дела поважнее!

— Быстро узнай все что можно про Веронику и Алексея.

— Кто это? — спросил приятель.

— Егерь и его жена, — напомнила я, — он следит за зоопарком, она народ чаем в избе угощает.

— А в чем дело? — удивился Володя.

— Некогда объяснять, — отмахнулась я, — вели Филиппу побыстрее справиться. Пока он роется, я все растолкую. Сразу скажу — никаких доказательств у меня на руках нет. Исключительно догадки.

Глава 35

К избе Ники мы приехали на местном вездеходе где-то через час. Володя покинул место шофера и постучал в окно.

— Кто там? — крикнули из домика.

— Лампа Романова, — отозвалась я, — с друзьями.

Дверь приоткрылась, высунулась Вероника:

— Рада вас видеть, но у меня отпуск.

— Мы так продрогли, — заныла я.

— Очень на чаек рассчитывали, — присоединился ко мне Костин.

— Горяченького душа просит, — добавил Карпов.

Ника помолчала, потом открыла дверь пошире.

— Заходите. Но пирогов нет, я никого не ждала. Могу вас лишь чаем угостить.

— А нам больше ничего и не надо! — обрадовалась я.

— Навожу порядок, — предупредила хозяйка, — использую отпуск для хозяйственных дел.

— Домашние хлопоты отвлекают от тяжелых мыслей, — заметила я, — примите наши соболезнования в связи с неожиданной смертью Анфисы Ивановны.

Ника опустила глаза.

— Мама давно болела. Мы с мужем понимали: не жилец она. Вы же, Евлампия, слышали, как мать разговаривала, бред несла.

— Старческая деменция губит мозг, но не тело, — уточнила я, — у больного пропадает адекватная оценка действительности, он превращается в малого ребенка. Увы, частенько этот человек бывает немотивированно злым, агрессивным, но крепкого здоровья. Анфиса Ивановна не выглядела физически немощной.

— У вас глаза — прямо УЗИ, — неожиданно разозлилась Ника, — вы что, способны увидеть бляшки в сосудах? Камни в желчном пузыре?

— К счастью, такими талантами я не наделена, — улыбнулась я. — Анфиса Ивановна лечилась в клинике «Еврогарант», сведения о ее хорошей физической форме почерпнуты из медкарты. Не дешевое, кстати, заведение.

— Мать владела пятью квартирами, две из них находятся в курортных городах, — вздохнула Вероника. — Как она умудрилась их купить? Не спрашивайте, не знаю. Подозреваю, что в советские годы она обзавелась золотом, а в перестройку воспользовалась смутным временем и обменяла драгметалл на жилье. Мать сдавала свои квадратные метры, имела солидный доход.

— В Москве у нее три двушки в приличных районах, — не утихала я, — четырехкомнатная на Черном море в районе Коктебеля и уютные апартаменты в Болгарии.

— А вы живете в убогой избенке, — покачал головой Костин, — на служебной площади. Первый этаж — кухня плюс гостиная, но в ней постоянно посетители зверинца толкутся, так как ваша работа их чаем с пирогами угощать. А на втором этаже две маленькие комнатушки. Санузел один. Не роскошные условия.

— Вы молодец, не бросили больную мать, — похвалила я Веронику, — и муж ваш тоже герой. Не каждый согласится жить с тещей, да еще с безумной. Почему вы не поехали в какую-нибудь из квартир вашей матушки? В Москве жить удобнее, бытовые условия лучше.

Ника погасила раздражение и грустно объяснила:

— У меня в столице своего жилья нет, а мать свое сдавала, договоры были подписаны, людей не выселишь. Обычно у стариков постепенно проблемы с памятью стартуют. Сначала они просто забывчивыми становятся... Не сразу маразм наступает. А у нас вмиг! Мама перенесла инсульт, вышла из больницы, и понеслось.

— Да уж! — сочувственно кивала я. — Хорошо хоть, она могла сама себя обслужить, в туалет ходила.

Вероника махнула рукой:

— В последний год она жила только с памперсами.

Костин вскинул брови:

— Неприятно. Почему вы бросили институт? Учились в медицинском, прекрасно успевали, были отличницей. До третьего курса не было никаких проблем. Потом — раз! Академический отпуск, после которого вы не восстановились в вузе. Заболели чем-то серьезным?

Вероника резко выпрямилась.

— Мне надоело ваше любопытство. До свидания!

Володя вынул из сумки айпад.

— Игорь Николаевич Терентьев. Имя это вам знакомо?

Вероника вздрогнула.

— Нет!

Костин с укоризной посмотрел на нее.

— Глупо так себя вести. Да, обычному обывателю сложно докопаться до истины, документы закрыты, но мой сотрудник имеет к ним доступ. Игорь Николаевич Терентьев единственный муж Анфисы Ивановны, ваш законный отец. До двадцати лет в ваших документах значилось: Вероника Игоревна Терентьева. Потом Анфиса Ивановна оформляет развод с Игорем Николаевичем. Возвращает себе девичью фамилию Буркина. Дочери тоже делают новый паспорт, теперь она Вероника Ивановна Буркина, и дочь круто меняет свою жизнь: уходит из института. Господин Терентьев ведет себя безукоризненно, он не претендует ни на какое совместно нажитое имущество. Что такое совершил Игорь Николаевич, если и супруга, и ребенок от него отказались?

Вероника отвернулась к стене.

— Сами знаете.

— Да, — согласился Володя, — но хочется от вас услышать. Если вы не желаете, я сам справлюсь. Ваш отец, простой отоларинголог, работал в поликлинике. Тихий, скромный человек, прекрасный семьянин. Его очень любили пациенты, Игорь Николаевич никогда не брал денег у больных, относился к ним внимательно. Опытный специалист! У него была тьма благодарностей от тех, кого он вылечил. Мало того, Терентьева обожали соседи, они тащили ему собак-кошек с отитами. Игорь Николаевич не гнушался помогать и животным.

Семья жила скромно. Ни Анфиса, ни Вероника не выделялись роскошными нарядами, машина у Игоря была простенькая. Квартира, правда, трехкомнатная, но в ней никакой роскоши не было. Еще изба в деревне, там жила мама Терентьева. В начале девяностых на Анфису Ивановну свалилось огромное наследство. Деньги ей оставил родной отец Иван Буркин, который во время Отечественной войны попал в фашистский лагерь смерти и там выжил. Заключенных в сорок пятом году освободили американцы. Папаша испугался, что его на родине посчитают предателем, отправят на лесоповал, и попросился в США. А его жена, мать Анфисы Ивановны, получила еще в начале войны похоронку и понятия не имела, что супруг томился в бараке, а впоследствии оказался за океаном. Да и Анфиса ничего не знала до совсем взрослых лет, думаю, она была шокирована известием, что Иван Иванович жил за тридевять земель от супруги и дочки и ни разу не дал о себе знать. Впрочем, он объяснил свою позицию. К завещанию прилагалось письмо, в котором бывший лейтенант написал, что боялся репрессий, которые обрушились бы на Анфису и жену, если выяснится, что он не погиб в честном бою. Военных, которых брали в плен, в СССР считали предателями, и если они отказывались возвращаться на родину, то были вдвойне мерзавцами. Их семьям приходилось несладко, жен увольняли и не брали на хорошую работу, дети не могли поступить в институт...

Но в начале девяностых коммунистического режима уже не стало. Поэтому Иван Иванович Буркин, который преуспел в Америке, написал завещание на Анфису, у перебежчика исчез страх.

Госпожа Терентьева никак не афишировала, что стала очень богатой дамой. Даже те, кто с ней тесно общался, ничего не знали. Анфиса Ивановна быстро и с умом потратила все деньги, приобрела много недвижимости. И все у семьи шло хорошо, пока ее главу не арестовали. Тихий ласковый доктор оказался руководителем широкой сети мошенников по всей стране. Его «бойцы» обманывали пенсионеров, прикидывались представителями медцентров, звонили пожилым людям домой, врали про их смертельные заболевания, которые можно вылечить только ну очень дорогим лекарством. Естественно, купить его следовало из-под полы у «доброго» врача. Или рассказывали о волшебном средстве, якобы оно могло омолодить стариков при длительном приеме. Предлагали купить за бешеные тысячи приборы от разных хворей... Надо ли объяснять, что лекарства и всякие приспособления стоили в реальности копейки и никому не шли на пользу? Более того, некоторые покупатели умерли, потому что перестали употреблять жизненно необходимые препараты, заменили их БАДами. Терентьев опутал своей сетью почти всю Россию, создал мощную организацию, дружил с главарями крупных преступных группировок. Следственная бригада знала — Иван Буркин не присылал из Америки семье свой капитал. Деньги принадлежали Терентьеву, он их так легализовал. Но подозревать и доказать — разные понятия. История с отцом Анфисы была стопроцентной правдой. Попал ее папенька в плен? Да. Сидел в концлагере? Да. Уехал в Америку? Да. Имел там бизнес? Да. Составил завещание на дочь? Да. Все подтверждалось документами.

Следователю оставалось только ногти грызть да говорить вечером жене на кухне:

— Не первым мерзавец Терентьев до этого додумался. До него схема была разработана.

Находят за бугром родственника, кладут деньги на его счет, а тот потом завещает капитал тому, кто свои средства ему послал. И проверить это невозможно. В Америке свои законы, ФБР с нами неохотно сотрудничает. На запрос из Москвы о передвижении средств на счету американского гражданина Ивана Буркина нам дулю покажут. Игоря Терентьева закатают далеко, да он, подонок, свои капиталы успел легализовать, как американское наследство. За пару лет до посадки мошенник летал в США, аж три недели там провел. Его пригласили на медицинский конгресс. Уж не знаю, как он на конгрессе доклады слушал, а потом в Америке отдыхал. Но я уверен: именно тогда он и договорился со стариком тестем. Жена с дочкой стали жить припеваючи, и ничего у них сейчас нельзя отобрать.

— Стойте, стойте, — зачастила я, — тут какая-то ошибка. Вероника, мне вы рассказывали, что ваш папенька и брат Маргариты Федоровны владели кинотеатром, который в ночное время работал как клуб для своих. Потом ваш отец развелся с женой, уехал в Америку, там стал крутым бизнесменом, заключил новый брак, старой семье не помогал. А вот дядя Сеня, брат тети Риты, присылал сестре много денег...

— Враки, — перебил меня Костин, — красивая охотничья история. Но почему тебе солгали: Ника не хотела сообщать окружающим, что является дочерью преступника, который умер на зоне. И про деньги из США правда, только их получала не Маргарита от брата, а Анфиса благодаря хитрости Игоря Терентьева. А у Борисовой и брата-то нет. И не было никогда. Она первый отель открыла благодаря наследству Льва Валентиновича, потом ее сын женился на Елизавете, у которой имелись свои деньги. И поехало! У матери и жены Валентина определенно есть бизнес-талант, они целую сеть отелей создали.

— Понимаю, по какой причине Веронике не хочется вспоминать Терентьева, — согласилась я. — Но зачем лгать про мифического брата Риты? Это лишено всякого смысла.

— Не в каждой фантазии есть смысл, порой врут ради вранья, просто удовольствие получают, — заметил Володя. — Думаю, госпожа Буркина хотела принизить заслуги Елизаветы, дать ей понять: не Лиза стала корнем успеха сети «Теремок», а деньги, которые ее свекрови брат подарил. Встречаются люди, которые называют себя друзьями, а на деле полны зависти к приятелю. Им ваше процветание поперек горла, хочется комок грязи в того, кто на коне, швырнуть. Но давай вернемся в прошлое.

Как только мужа задержали, Анфиса подала на развод, поменяла фамилию, а дочери еще и отчество, продала квартиру, перебралась на новое место жительства. Супруга она не посещала, продукты-письма ему не передавала. До суда Игорь Николаевич находился в следственном изоляторе. Документы о посещении «сидельцев» и всякая информации о том, как они себя ведут, хранятся в архиве. Терентьеву регулярно приходили посылки, их отправляла некая Екатерина Семеновна Иванова. Маленькая деталь. На момент, когда за Игорем с лязгом захлопнулась железная дверь камеры, милейшая Катенька справила сто седьмой год рождения и уже десять лет как находилась в царствии небесном. Можно предположить, что криминальные авторитеты, друзья Терентьева, не бросили Игоря, помогли и ему, и жене, и дочке. Чем иначе объяснить проведенный за неделю обмен квартиры, молниеносный развод, быструю смену паспортов? Думаете, Анфиса просто заплатила деньги? Конечно, ей пришлось раскошелиться. Хорошо иметь толстые рубли, но их одних мало. Надо знать, кому и сколько отсчитывать. Судя по всему, у Фисы были правильные советчики и покровители. Игорю Николаевичу отвесили долгий срок, отправили его далеко. А потом еще добавили за драку, в которой погибли несколько заключенных. Ваш отец умер несколько лет назад, так и не увидев свободы.

Вероника молча слушала Костина, а тот все говорил:

— Вы, Ника, могли стать врачом. Ваши сильные покровители, те, кто вмиг уладил дело с документами и недвижимостью, могли легко отправить вас в другой город, хоть в Питер, например, где вас никто не знал и не удивился бы внезапной смене фамилии. Замуж можно фиктивно выйти, получить новый паспорт, затем без шума развестись и жить дальше Сидоровой, Петровой, Кузнецовой. Почему же ни один из этих вариантов вы не использовали? Отчего лишили себя высшего образования? Да потому, что вы в год посадки отца страстно влюбились.

Глава 36

Вероника дернула плечом:

— Это ошибка.

— Несомненно, — согласился Володя, — вы нашли себе на редкость мерзкий вариант. Объектом страсти юной девушки стал Костя Савинов, серийный убийца. На его совести не один труп. Его осудили, отправили отбывать срок, но Савинов через два года сделал заявление: он может рассказать, где зарыл тела. Во время следствия Константин так и не сообщил о местах захоронения жертв, врал, что бросил их в лесу, не может вспомнить где. И вот спустя время амнезия его покинула. Полицейские не удивились. Уголовники хорошо знают: родственники мучаются из-за того, что не смогли сами упокоить погибших. А на зоне, где положено сидеть маньяку, очень плохо, в следственном изоляторе лучше, свободы больше, еда вкуснее. Чтобы получить «отпуск», преступник «вспоминает», куда дел трупы, его этапируют в Москву и начинают искать останки. Хитрый мерзавец сообщит о нескольких могилах, а через пару лет о других «вспомнит». Не всем, правда, удается прокатиться в столицу. А вот у Савинова это получилось.

Вовка закрыл айпад.

— Неизвестно, где Вероника познакомилась с ним, но у нее с отморозком завязались отношения. Как мы это узнали? Проверяли, кто посещал Игоря Терентьева в СИЗО, в первую очередь, естественно, поинтересовались родными. Получили ответ: ни дочь, ни жена к доктору-мошеннику на свидание не записывались. Анфиса Ивановна ни разу не переступила порог изолятора. А вот Вероника Игоревна несколько раз получала пропуск. Внимание! Девушка называла себя помощником адвоката, который защищал Константина Савинова, у нее было удостоверение сотрудницы юридической конторы. Законник, пожилой человек, давно умер, допросить его невозможно. Думаю, кто-то вежливо попросил адвоката организовать свидание Константина и Вероники. В кабинете, где адвокат беседует с клиентом, нет никакой аппаратуры, о чем там идет разговор, никто, кроме его участников, не знает. Юрист выдал Нике удостоверение. И парочка стала встречаться. Опять же, это не новая уловка. Знаю, что кое к кому в СИЗО прибегают любовницы, «сотрудницы» адвокатской конторы. Но вот чего понять не могу: как можно любить мужика, у которого не руки, а все тело по шею в крови не повинных ни в чем женщин? Неужели не страшно, что он и вас убьет, а?

— Костя жертва своей наивности, доверчивости, — воскликнула Ника, — те бабы сами виноваты. Одна ему назло изменила! Вторая не захотела родить ребенка, третья пила, четвертая врала. Мы планировали после его освобождения пожениться. И познакомились, когда Костика еще не арестовали, он был соседом по коммуналке моей одноклассницы. Правда, на меня он внимания не обращал, а потом мне письмо передали, не по почте. Там он писал, что меня давно любит... Не хочу вам все про нас рассказывать. Точка.

— Бедная Анфиса Ивановна, — воскликнула я, — мало ей своего мужа, так еще дочь решила зятя из-за решетки привести.

— Бедная?! — возмутилась Вероника. — Она мне всю жизнь сломала! Узнала про нашу с Костей любовь, вмиг отцу доложила. И моего жениха в камере убили. Адвокату наврали, что инсульт у подзащитного случился. Да кто в это поверит? После этого я с матерью дел иметь не хотела! Стала просить мне отдельную квартиру купить. Так нет! Фига! Она заорала: «Живи со мной, дура!»

— Наверное, Анфиса опасалась, что вы нового уголовника найдете, — предположила я.

— А я ей назло решила делать, что хочу, — вспыхнула Ника, — дома год провела, только ела, спала, телевизор смотрела. Анфиса дико бесилась, орала: «Иди на лекции, дура». Других слов она мне, дочери любимой, не адресовала. Слово «дура» везде пристегивала. «Обедай, дура», «Выключи телик, дура». Да хрен ей! Сделать, как она хочет? Подчиниться той, кто нас с Костей разлучил?

— Но вы пошли учиться на медсестру, — заметил Володя.

Вероника тряхнула головой.

— Самой надоело в потолок плевать, поэтому я поступила в медучилище. Мамахен требовала: «Восстановись в институте, который, дура, из-за того, что в СИЗО бегала, бросила». Да мне в лом выполнять ее желание. Стала я средним медицинским персоналом. На первую же зарплату сняла комнату в коммуналке и уехала от мамахен. Очутилась в жутком месте: народу, как огурцов в банке, в сортир очередь на километр, на кухне к плите не подойти. А я была счастлива! Матери рядом нет.

— Вы сменили две больницы, в третьей прижились, и там познакомились с Валентином Львовичем.

— Понятия не имею, кто он, — с самым невинным видом заявила Вероника.

— Глупее ничего и не придумаешь, — не выдержала я, — вы же с врачом в одном отделении бок о бок работали.

Ника изобразила удивление:

— Так вы о Бракове! Да, конечно, мы дружили.

— А вот ваши бывшие коллеги утверждают, что Браков и медсестра Буркина состояли в любовной связи, — заметил Вовка, — несколько человек даже заявление написали главврачу, требовали вас урезонить, мол, вы разбиваете чужую семью и от работы из-за того, что амурничаете, часто отлыниваете.

— Ха! — выпалила Ника. — И что? Меня выгнали?

— Нет, вы сами ушли еще до задержания Валентина, — ответил Володя.

— Брехня все это, — отрезала Ника. — Да, Валентин Львович выделял меня из общей массы, иногда мы ходили с ним вместе в столовую. У меня несколько курсов мединститута за плечами, я намного образованнее других медсестер в клинике. Мы просто дружили. Я с юности в хороших отношениях с Лизой была. И с Маргаритой потом познакомилась. Мать Бракова предложила мне в избе работать. Я тогда от клиники устала, новая служба показалась мне лучше. Свежий воздух, коммуналка бесплатная, рабочий день нормирован. Еду можно бесплатно в ресторане брать, там много чего пропадает, зарплата идет, посетители чаевые оставляют.

— И Валентин рядом, — добавила я.

— Без гнусных намеков, пожалуйста, — возмутилась Ника, — я переживу, но зачем пачкать память покойного?

Костя встал.

— На ресепшен отеля нам рассказали, что зимой Алексей катал желающих на санях, летом в телеге, куда впрягает лошадей. И в теплое время есть еще одно развлечение: резиновые лодки. Вы нам про плавсредство ничего не рассказали.

— Только дурак, когда еще снег не сошел, про водные удовольствия распинается, — скривилась Ника. — Смешно.

— Где хранятся катамараны? — перебил ее Володя.

Вероника округлила глаза:

— Понятия не имею. Зачем мне резиновые лодки? Да еще в марте!

— Вероника, когда мы вели беседу о физическом и психическом состоянии Анфисы Ивановны, вы сообщили, что она пользовалась памперсами, — протянула я.

— Да. И что? — спросила Ника.

Володя снова открыл айпад.

— Врач «Скорой помощи», которую вызвали в тот день, когда умерла ваша мать, заполнила всякие бумаги. Там есть фраза: «Труп обнаружен на первом этаже в туалете. Дочь сообщила: мать давно находится в состоянии деменции. Ночью старуха пошла в санузел, заперлась там, не сумела открыть замок. От стресса у нее случился очередной инсульт...»

— Так и было, — подтвердила Ника, — мать до паники боялась темноты. Как на грех, когда она находилась в сортире, перегорела лампочка, Анфиса испугалась, стала дергать ручку, но не смогла выйти. Створка не открылась, голова почти не соображала. Анфиса Ивановна запаниковала, и от нервного напряжения у нее случился сердечный приступ, а потом инсульт.

— И еще одна странность, — заметил Костин, — вы и Алексей говорите, что являетесь мужем и женой. Но это не соответствует действительности. У вас нет супруга, а Алеша холостяк.

Ника закатила глаза:

— Это просто спектакль. Мы с Лешей изображали счастливую пару: лесник-ветеринар-смотритель зоопарка и домашняя хозяйка, которая рада угощать всех пирогами собственного производства с ароматным чаем. Алексей наряжался зимой в тулуп, валенки, ушанку, а летом у него была косоворотка с вязаным поясом и шаровары. Я в сарафане, на столе самовар, расписная деревянная посуда. Шоу ряженых. После того как рабочий день заканчивался, мы переодевались и не ели ложками, которые якобы хохлома. Маргарита запретила говорить хоть кому-либо правду. Вот мы с Лешкой и старались. Он тут не живет, вечером домой смывается. Я бы тоже могла уехать, но мне некуда.

Костин протяжно вздохнул.

— Вероника, вы лукавите, неужели думаете, что мы не знаем: у вас есть квартира, вы в ней прописаны.

— Так я ее сдаю, — сказала Ника, — деньги нужны. Пока маменька разум не потеряла, я нормально жила. Потом у матери крыша уехала... Знаете, сколько ей лекарств покупать приходилось? Думаете, она за свои бабки пилюли брала? Да не так это! Давайте прекратим сию беседу. Я вещи собираю, времени нет. Надо освободить избу, Маргарита нового человека на мое место наняла.

— Почему? — поинтересовалась я.

— У нее спросите, — сердито буркнула Ника, — у барыни характер непредсказуемый. Чем-то я ей не угодила.

— А нам госпожа Борисова сообщила, что вы сами уволились, — удивилась я, — сказали, что не можете находиться в доме, где любимая мама умерла.

— Врет она, — фыркнула Вероника.

— И все-таки странно, — протянула я, — вы объяснили, что Анфиса Ивановна пошла ночью в туалет, заперлась там, не смогла открыть дверь. Так?

Вероника начала терять самообладание.

— Да! Сколько можно об одном и том же тарахтеть?

— Зачем вашей матери унитаз, если она пользуется подгузниками? И опять, вы же сетовали в первую нашу беседу, что Анфиса Ивановна пребывает в глубоком маразме, она все забыла, даже то, где и как умываться. Мне ваши слова показались преувеличением. Да, пожилая дама вела себя агрессивно по отношению к дочери, с которой вынуждена жить, говорила вам при посторонних гадости, старалась уколоть вас побольней, но...

— Где хранятся лодки? — перебил меня Костин.

— Сдались они вам, — надулась Вероника.

Володя встал.

— Слишком много времени мы тратим впустую. Название плавсредства более чем оригинальное «Котоломбо». Маргарита решила назвать суденышко в честь своего любимого телесериала «Коломбо», он когда-то давно шел по телевизору. А тот, кто писал названия, никогда не слышал о фильме и вывел «Котоломбо». Правда, похоже на слово «катакомбы»? Антон был весьма испуган, когда, как ему показалось, из земли раздался голос. Мальчик мог элементарно перепутать. Возможно, несчастная твердила про «Котоломбо».

— В подвале бывшей аптеки мы нашли помещение, где Валентин держал и мучил своих жертв, — подхватила я, — но ни Браков, ни кто-либо другой не подумали, что запертая там Галя могла орать во весь голос и никто ее не услышит! А до мальчика Антона долетел шепот женщины, и шел он, как уверяет Полковников, из-под земли. Мы обыскали дом и ушли, но теперь знаем, что совершили ошибку. Пленница находится в каком-то тайнике, из которого можно было услышать ее просьбу. Я уверена, что бедняга говорила: «Котоломбо». Откуда ей знать весьма необычное слово? Есть всего лишь один ответ: несчастная находится около лодок, она увидела название. Значит, в сарае или где-то еще есть свет. Где держат резиновые шлюпки?

Ника встала.

— Сейчас отведу вас. Подождете пять минут? Свитер натяну, а то холодно куртку на футболку надевать.

— Конечно, — разрешил Костин.

Буркина ушла в коридор, мы сидели молча. Спустя минут пять из двора послышался вопль:

— Стой!

Я не успела охнуть, как в комнату вошли двое парней, они вели Веронику.

— К дому пристроен сарай, — пояснил один, — она из его окна вылезла в куртке и сапогах.

— Мы так и думали, — кивнул Костин, — хозпостройку при подходе к дому хорошо видно, в сенях есть две двери. Одна ведет в санузел, я там руки мыл. Вторая в сараюшку. Вероника, вы там дрова храните? Правильно, есть ход из дома в подсобное помещение. Летом нетрудно по двору пробежаться за поленьями, а зимой-то холодно, и осенью в дождь тоже...

Вероника опустила голову.

— Не я это придумала! Мне велели...

— Где спрятана Галина Утятина? — заорал Костин. — Хватит ломать комедию!

— Раньше она в погребе при лесном доме находилась, недолго совсем, когда одурманенная спала, — призналась Ника, — потом ее в другое помещение, где держат лодки, бросили... Оно... ой, мне плохо! Вызовите «Скорую».

Я вздохнула. Понятно. Вот когда Хухрик потеряла пуговицу от кардигана — во время короткого пребывания в бывшей аптеке.

— Вам нормально! — загремел Володя. — Не стоит разыгрывать дешевый спектакль. Кто Галине еду приносил?

— Я, — призналась Буркина.

— Только вы?

— Да.

— Более с несчастной вы не общалась? — уточнила я.

— Нет.

— Отлично, — подвел итог Костин, — значит, Галя исключительно вас видела и на вас все свалит. Но есть шанс себе помочь. Надо только ответить: где жертва сейчас?

— На втором этаже в комнате справа, она в шкафу спит, я лекарства ей даю, — прошептала Ника.

Я кинулась к лестнице.

Глава 37

Спустя неделю мы с Володей сидели в кабинете у Карпова и слушали рассказ Вероники, который то и дело прерывался ее плачем. Никто из нас не торопил Буркину, все терпеливо ждали, когда она успокоится и продолжит повествование.

Нике всегда нравились плохие мальчики. В школе она не дружила с ребятами из класса, нашла себе дворовую компанию, вожак которой всегда брал девочку из хорошей семьи «на дело». Подростки вскрывали чужие машины, утаскивали оттуда вещи. Действовали они нагло и в конце концов попались. Игорь Николаевич выручил дочь, по дороге домой он беззлобно произнес всего пару фраз:

— С идиотами свяжешься, на зону попадешь. Тусуйся с умными, у них есть и деньги, и удача.

А вот мать долго орала на Нику, обзывала ее по-разному и в конце концов отвесила дочери такой подзатыльник, что та, не ожидавшая рукоприкладства, ткнулась лицом в стол и сломала себе нос.

С того дня Ника возненавидела мать.

После того как Игорь Николаевич оказался за решеткой, Вероника натворила массу глупостей, о которых мы уже знаем, и в конце концов спустя годы влюбилась в доктора Бракова. Наличие у Валентина Львовича жены, близкой знакомой Ники, не смущало медсестру, она о ней просто не думала. Вероника увидела, как Валентин берет тайком кое-какие препараты, и шепнула ему: «Знаю про лекарства, но никогда тебя не выдам, потому что люблю». Браков неожиданно предложил:

— Я провожу кое-какие научные эксперименты. У меня неподалеку от городка Полыново оборудована небольшая лаборатория. На небольшом расстоянии от нее есть изба, там работала пара, которая присматривала за зоопарком, но сейчас люди уволились. Давай я устрою тебя на не пыльную службу. Мы тогда сможем часто видеться.

Ника с восторгом согласилась, перебралась в Подмосковье, познакомилась с Алексеем, которому предстояло стать ее «мужем». С хозяйками у Ники были с давних времен отношения, с Лешей она сразу подружилась. И некоторое время Вероника чувствовала себя совершенно счастливой. Днем она изображала домовитую жену егеря, а вечером, когда Алексей укатывал домой, к ней приходил Валентин. Чем доктор занимался в своей лесной лаборатории, Ника не знала, она пыталась задавать вопросы, но Валентин сразу заявил:

— У тебя не хватит образования, чтобы понять мои исследования.

Вероника не обиделась, она понимала, что ей далеко до Бракова. Зато в постели у них возникло чудесное согласие. Ника жила, как в счастливом сне, потом случилось непредвиденное.

Как-то вечером в избу без стука ворвалась Анфиса Ивановна и устроила феерический скандал. Мать накинулась на дочь с кулаками, обзывала ее, требовала прекратить спать с женатым, велела вернуться домой, вопила, что Ника вечно затевает любовь с неподходящими мужиками. Вероника оторопела, она не понимала, откуда мамаша узнала про мужа Лизы, лепетала: «Ты ошибаешься». И тут, словно по заказу, в дом вошел Валентин.

Анфиса Ивановна пошла вразнос, но, надо отдать должное доктору, он вмиг утихомирил пенсионерку ласковыми словами, и та, выдохнув, пошла в туалет.

— Накрой чай, — велел Нике любовник.

— Может, ей еще язык медом намазать? — разозлилась Ника. — Пусть сматывается. Мне не десять лет, я не у нее в квартире, нет прав у Бабы-яги орать на взрослого человека.

— Не веди себя, как дура, — сказал Валентин, — общайся с умными людьми, сама такой станешь.

Вероника сразу вспомнила отца, который когда-то забирал ее из милиции, и вмиг полюбила доктора еще сильнее. А возлюбленный открыл свой портфель, набитый множеством лекарств. В свое время Ника спрашивала у Бракова:

— Зачем ты всегда таскаешь при себе аптеку?

— Такова уж наша докторская карма, — ответил тот, — вечно в моем присутствии кому-то плохо делается: то в самолете, то в магазине. Поэтому набор медикаментов и шприцев всегда у меня под рукой.

Вероника знала, что любовник в первую очередь врач, поэтому не удивилась, когда в кейсе оказалась куча препаратов.

— Принеси чистое полотенце, — попросил Валентин.

Вероника ушла на второй этаж, когда она вернулась, мать уже пила чай, который ей налил Валентин, вскоре Анфиса начала зевать и заснула прямо за столом. Браков перенес ее на диван, они с Вероникой пошли в спальню. В гостиную они спустились часа через полтора. Ника сразу поняла — матери плохо.

— Вызывай «Скорую», — велел Валентин, — мне лучше уйти.

Анфису доставили в клинику, там установили инфаркт и поставили старшую Буркину на ноги. Но она стала стремительно терять разум. Врачи объясняли ураганный старт деменции нарушением кровообращения, вот только Нику не интересовала причина недуга. У нее возникли проблемы, пришлось оставить мать у себя. Был вариант вернуться в Москву, поселиться в большой квартире, но тогда Вероника лишилась бы ежедневных встреч с Валентином.

Соседство с ненавистной родительницей не мешало Нике чувствовать себя счастливой, ведь Браков постоянно находился рядом. Ей иногда казалось, что мать прикидывается, та часто говорила разумно, но потом замолкала и несла чушь.

Как-то вечером любимый не пришел, вместо него появилась Маргарита. Хозяйка села в гостиной и заговорила. Вероника только моргала, слушая информацию, которую вываливала свекровь подруги. Валентин задержан, он преступник, убивает тех, кто мешает его больным выздороветь. Если Ника хочет вызволить Валентина из беды, она обязана помочь Маргарите. Идея такая: полицейские найдут труп женщины на шоссе у Полынова и решат, что Браков невиновен, настоящий маньяк на свободе. Дело за малым: оттащить на дорогу мертвую девушку, которая сейчас находится в лаборатории Валентина. О том, чем он занимался в лесу, неизвестно ни одной душе. Маргарита и Ника ничем не рискуют.

— Мертвая девушка! — повторила Вероника и затряслась в ознобе. — Откуда она взялась?

— Для изучения психологических аспектов болезней Валентин нанимал студенток, — объяснила Маргарита. — Одной из них стало плохо. Она случайно умерла.

Ника растерянно молчала.

— Я против того, чтобы мой сын оставался мужем Лизы, — вкрадчиво говорила Маргарита. — Но я помогу ему вылезти из тюрьмы. Давай положим труп на дороге, покойницу найдут, отдадут ее родственникам. Валентина выпустят. Я ему расскажу, как ты спасала любимого, он на тебе сразу женится. Ты любишь Валю?

— Да, — воскликнула Вероника.

— Очень?

— Да.

— На что готова ради него?

— На все!!! — с жаром заявила Вероника.

— Тогда вперед, — приказала Маргарита, — и не задавай вопросов.

Когда они вошли в дом и Ника увидела труп, который лежал почти у входа, ей стало плохо. Буркина вмиг сообразила: несчастную пытали, били, она умерла в мучениях. Ника оцепенела, а Маргарита деловито велела:

— Хорошо, что Валя тело сюда поднял. Нам бы тяжело сейчас пришлось. Пошли в подвал.

Лодки прикрыты брезентом, возьмем его, закатим труп на ткань и дотянем до шоссе. Или потащим, как на носилках.

Вероника была так напугана, что молча подчинилась. А Маргарита, кажется, хорошо знала дом. Она уверенно спустилась на минус первый этаж. Буркина брела за ней и сначала увидела помещение с цепью и ведром, потом комнатушку со столом. Нике, несмотря на состояние, в котором она пребывала, стало понятно: вот где терзали несчастную. Маргарита же, осмотрев помещение, протянула:

— Вон что он тут делал. Небось катамаран во дворе в погреб запрятан. Нам туда надо.

Они вышли во двор, Маргарита подошла к одной из стен дома, нагнулась, вынула из кармана ключ, воткнула его, как показалось Веронике, в землю, и открылась лестница.

Женщины по ней спустились, Ника увидела стену, на которой горело много надписей «Котоломбо». Зрелище было таким неожиданным, таким пугающим, что Вероника крикнула:

— Ой, мама! Что это?

— Лодки, — сердито ответила Маргарита, — заказали их идиоту! Название он перепутал да еще намалевал его краской, которая в темноте солнцем горит! Не просила делать этого, он сам придумал. И вот же зараза какая! Обычно это, если находится там, где доступа света нет, через какое-то время теряет яркость. А эта краска нет. Новое поколение!

— Вот оно что! — не удержалась я от восклицания. — Галина находилась в помещении, где было много пылающих слов «Котоломбо». Она пыталась объяснить Антону, где ее держат. Но то ли плохо произнесла слово, то ли подросток услышал его как «катакомбы».

— Давайте вернемся к телу Ларисы, — велел Костин. — Итак, вы с Маргаритой спустились в подвал, и...

— Там на полу лежало несколько кусков брезента, — прошептала Ника, — и женщина. Она была жива, со связанными ногами, что-то вроде кандалов на щиколотках и длинная цепь. Руки в кровь изодраны, а на ступеньках темно-бордовые следы. Я сразу поняла, что пленница пыталась освободиться, мне ее так жалко стало!

— Плохо верится в то, что вы испытывали сострадание, — разозлился Костин. — Несмотря на все мучения, Галина осталась жива. Она рассказала нам, что сначала находилась в одном подвале, слышала душераздирающие крики Ларисы. Потом тот, кто назвался Наказидом, сделал ей укол, Утятина заснула, очнулась в другом подземелье. На стене горело много раз повторяемое слово «Котоломбо», Галя решила, что сходит с ума. Но потом нащупала материал и сообразила: это просто что-то сложенное, на нем надпись. Она смогла вползти вверх по лестнице, поняла, что выход закрыт железными дверцами, нет шансов их сломать. Но совсем рядом с одной из створок было круглое отверстие, прикрытое мелкой решеткой, из него дуло. Очевидно, это была примитивная вентиляция подпола. Бедняга много времени проводила, лежа на лестнице у источника свежего воздуха. Потом сползала вниз, засыпала. Под туалет она приспособила один угол помещения, но часто им не пользовалась, ни воды, ни еды у нее не было. И вдруг появились две женщины.

Костин махнул рукой.

— Галина от радости голоса лишилась, думала, что ее освободят, хотела заплакать, сказать что-то, а звук из горла не шел. Как поступили тетки? Они взяли брезент, ушли и закрыли погреб. Где жалость-то?

— Сейчас расскажу, — всхлипнула Ника.

— Давайте сначала завершим с Ларисой, — велел Костин, — затем займемся Галей.

Вероника закрыла лицо руками и продолжила.

Они с Маргаритой вернулись в здание бывшей аптеки, положили труп Ларисы на брезент, вытащили его во двор, водрузили на тележку, ее владелица санатория выкатила из шкафа в прихожей, отвезли останки на шоссе.

После того как изуродованное тело оказалось на асфальте, парочка снова вернулась к строению в лесу, спустилась в помещение, где хранились резиновые лодки.

Маргарита показала на полуживую пленницу и сказала Нике:

— Надо от нее избавиться. Действуй.

Вероника перепугалась.

— Предлагаете мне ее убить? Никогда.

Мать Валентина стала давить на любовницу сына, но та твердила:

— Я вынесла с вами труп. Но лишить кого-то жизни не могу.

— Слабачка, — упрекнула ее Рита.

— А сами-то? Начинайте! — ответила Вероника.

И тут несчастная опять открыла глаза и прошептала: «Помогите». Маргарита убежала из погреба. Ника кинулась за ней, она понимала: Рита знает, что Валентин убийца, мать всячески пытается помочь сыночку, желает вызволить его из СИЗО. Рита покрывает преступника, но сама не готова лишить жизни человека. Ника не испугалась, что ее любовник маньяк, она всегда любила и до сих пор любит плохих мужчин. Чем гаже любовник, тем крепче страсть Вероники. Но сама Буркина не способна на убийство. Оттащить на шоссе уже мертвую девицу она согласилась, но отнять жизнь у пленницы... Для этого у нее кишка тонка. Вероника тоже ушла.

— Сама скоро окочурится от голода, — буркнула Рита, когда они, закрыв погреб, пошли назад, — никто ее не найдет. Сюда никому в голову не придет забрести, а если кто-то припрется, то в дом не войдет, повсюду замки, вход в погреб невозможно найти. Люк находится вровень с землей.

Ночью Ника не спала, вертелась в кровати. На следующий день она бросила в подземелье бутылку с водой и батон. Почему Буркина так поступила? Она сама не знала.

Она стала регулярно приносить в лесной домик хлеб, пластиковые бутылки с минералкой и швыряла их вниз в погреб. Что делать с пленницей, она не знала. По какой причине ее кормила? Нет ответа.

Ника замолчала, вместо нее заговорил Карпов:

— А Галя слегка окрепла, лежала у дырки вентиляции, дышала и вдруг услышала шаги и голос, который напевал какую-то песню. Это был Антон Полковников. Ну мы помним, что он сделал, и понятно, почему подросток решил, что голос идет из дома. Вентиляция находится почти впритык к стене, парнишка изумился, под ноги он не смотрел, решил, что с ним кто-то из подвала беседует. И, в принципе, оказался прав. Галя сидела в подполе. Только вход в него находился не в доме, а во дворе. Вероника, почему вы молчите?

Буркина поежилась и продолжила рассказ.

Далее события напоминали снежный ком, который летит с горы и делается огромным шаром. Умер Валентин. Маргарита после похорон пришла к Веронике, села пить чай и неожиданно выложила перед ней всю свою жизнь, рассказала про мужа, про сына, о котором знала все. Ника после ее ухода разрыдалась. И вдруг за ее спиной раздался голос:

— Не реви. Еще встретишь нормального мужика. И чего тебя на уродов вечно тянет. Ишь ты, «Призрак дорог»! Я вот все думала, почему у меня вдруг сердце заболело, когда сюда впервые приехала, и сообразила: твой любовник что-то в чай подлил! Выпила я, и сразу плохо мне стало! Он меня убить хотел, да я жива осталась, но инфаркт получила.

Ника сообразила, что мать слышала их разговор с Маргаритой, и запаниковала. Валентин уже умер, ему старуха не могла навредить, а вот дочери может сделать подлость, достаточно пойти в полицию. Но через пять минут Анфиса Ивановна снова понесла бред, и Вероника выдохнула. Пусть мать болтает, что ей в голову взбредет, никто не поверит безумной бабе.

Сразу после кончины Бракова у Ники зародилась мысль, что смерть ее любимого странная. Валентин себя хорошо чувствовал, никогда не жаловался на боль в груди. Некоторые люди, ощутив дискомфорт в желудке, в спине, боль в руке, идут к гастроэнтерологу, хирургу, слышат от них:

— У вас небольшой гастрит, остеохондроз, — успокаиваются, пьют таблетки и... через некоторое время получают инфаркт.

Но Валентин гениальный диагност, он прекрасно знал, что резь в солнечном сплетении, под лопаткой, в верхних конечностях может являться симптомами надвигающихся кардиологических проблем. И если вспомнить, что

Маргарита рассказывала о смерти Льва Валентиновича, то становилось понятно: от сына она тоже решила избавиться.

Бедная Вероника потеряла покой. Она не знала, как ей быть. Боялась, что откроется правда об ее участии в перемещении трупа на шоссе. Не знала, что делать с несчастной, которая заперта в подвале. Ника продолжала бросать ей хлеб и воду. Но это же не может длиться вечно? Перестать кормить тетку? Пусть та тихо скончается от голода и жажды? Но что-то мешало Веронике так поступить, и она ходила с едой в лес.

А потом в избе появилась Лампа, Анфиса Ивановна спустилась в столовую, начала по своему обыкновению чушь нести и вдруг хитро прищурилась да сказала: «Вероника чудовище. Она любит Призрака дорог». Ляпнула и посмотрела на Нику. Дочь сообразила, что мать отлично понимает смысл того, что сказала, ее радует испуг в глазах дочери.

В кабинете возникла тишина.

— И что случилось дальше? — спросил Карпов.

— Без меня знаете, — сказала Вероника.

— Догадываемся, — кивнул Володя, — вы что-то подлили матери в чай, и она...

— Нет, нет, — замахала руками Ника, — она правда в туалет захотела поздно вечером. Памперсы дорогие, я ее старалась при любой возможности на унитаз посадить. Устроила

Анфису в сортире, дверь заперла, чтобы она не вышла и точно все на толчке сделала. Она могла без штанов выскочить, на пол назло мне насрать. Я просто забыла ее выпустить. Было поздно, я знала, что мамаша меньше получаса не сидит на горшке. И тут Маргарита пришла, я ей на Анфису пожаловалась, что та при Романовой разговор завела...

Вероника замолчала.

Карпов постучал пальцами по столу.

— С Маргаритой все ясно, она мать, не жена, поэтому и пришла к вам. Но почему Лиза с вами поддерживала хорошие отношения. Вы ведь любовница ее мужа, ей ненавидеть вас следует.

Ника сдвинула брови.

— Елизавета супруга Валентину только на бумаге. Маргарита мне объяснила, что отношения у них давно затухли. Лизу волновали только деньги, бизнес, сеть «Теремок». Они с Ритой партнеры, ругаться им никак нельзя. Не ревновала ко мне законная половина Бракова. Наоборот, очень довольна была, что именно я рядом с Валей. Я тихая, никаких особых желаний не имела, не требовала подарков, развода, не собиралась беременеть, чтобы Бракова заполучить. Я была просто счастлива от общения с мужчиной, которого Елизавета давно разлюбила. Да и любила ли она его в момент свадьбы? От меня никакой опасности не исходило. А в трудную минуту я Маргарите помогла.

— Не Лизе? — уточнил Костин.

— Нет, все Маргарита устраивала, — сказала Ника, — только она, Лизочка ни при чем.

— Есть предложение, — сказал следователь.

— Какое? — прошептала Ника.

— Для начала отпустим Маргариту, — предложил Карпов, — она не будет знать, что за ней следят.

Глава 38

Через день я сидела в микроавтобусе у монитора, любовалась на изображение и в наушниках слышала голоса. Беседа происходила в столовой избы, где Ника поила всех посетителей зоопарка чаем. Рита сидела спиной к видеокамере, но я узнала ее по светлым, тщательно завитым локонам и голубому свитеру с красными полосками.

— Так тебя не арестовали? — спросила Рита хриплым голосом.

— Нет, — ответила Вероника.

— Весь санаторий гудит, что в избу полиция заявилась.

— Верно. Они сюда приехали, спросили, чей дом в лесу, я ответила: не знаю. Полицейские погреб обнаружили, нашли тело Галины.

— Так она умерла?

— Да.

— Ты мне не говорила.

— Откуда мне знать, я туда не ходила.

— Все твоя мать! ...! Угораздило ее при этой ... Романовой сказать про «Призрака дорог».

— Я сразу вам сообщила, а вы предложили Анфису в туалете запереть, чтобы она там точно от страха умерла.

— Скажи мне спасибо, — перебила ее гостья, — иначе сейчас сидела бы в камере.

— Очень смелый поступок. Я на такой не способна. Хорошо, что не я дверь в санузел блокировала.

— Держись рядом со мной и получишь все самое лучшее. Кха-кха-кха. Кашель меня замучил. Сходи в прихожую, принеси из моей сумки спрей.

Вероника ушла. Рита, не вставая и не оборачиваясь, быстро вытащила из кармана пузырек, вытряхнула его содержимое в бокал с вином, который находился около тарелки Ники, и спрятала тубу.

В комнату вернулась Вероника с баллончиком, гостья попшикала в рот лекарство и взяла свой фужер.

— Ну, давай, за продолжение дружбы!

— Меня возьмут на хорошую работу? — спросила Ника, опустошив бокал.

— Непременно, — заверила Маргарита, — хочешь в этот «Теремок» или в другой, без разницы. Но зачем тебе работать? Получишь все квартиры Анфисы, сдавай их, живи припеваючи. Выйдешь замуж.

— Хорошо бы, — зевнула Ника, потом уронила голову на стол и захрапела.

Гостья вышла из комнаты, быстро вернулась с хозяйственной сумкой, достала из нее канистру, наплескала повсюду бесцветную жидкость, особенно щедро полила пол вокруг ног Вероники...

— Парни, готовность номер один, — сказал Карпов, который находился рядом со мной, — огнетушители и все, что надо, на изготовку. Она решила устроить поджог.

— Ожидаемо, — ответил из наушников мужской голос, — все под контролем.

Гостья встала на пороге комнаты, вынула из сумки коробок, зажгла спичку, бросила ее на пол и унеслась, послышался звон, стекло двух окон рассыпалось в крошево. В столовую, где уже бушевало пламя, влезли несколько мужчин в защитных костюмах. Двое из них накинули на Нику белую ткань, взяли ее и через окно передали кому-то во дворе.

— Номер один вынесен, — донеслось из наушников, — номер два задержан.

Я выскочила из машины, вылезла из кустов, где прятался минивэн, поспешила к кромке леса, свернула на тропинку и остановилась. Навстречу мне шли несколько мужчин, двое из них держали за предплечье Маргариту, чьи руки были отведены назад. Мать Валентина шла, опустив голову, но я сразу узнала ее по прическе.

— Вернись в автобус, — велел Костин, который подошел слева.

— Нет, — твердо ответила я, — хочу посмотреть ей в глаза.

Группа поравнялась с нами.

— Погодите, ребята, — велел Вовка, — задержанная, поднимите голову.

Женщина выполнила приказ. Я увидела лицо... Лизы.

Эпилог

В самом конце марта мы с Костиным и Максом сидели у нас дома.

— Как ты поняла, что в деле замешана Ника? — спросил муж.

Я пожала плечами.

— Само собой получилось. Анфиса Ивановна, конечно, не могла считаться полностью психически адекватной женщиной, но она и не была совсем сумасшедшей. На слова «Призрак дорог» я сначала не обратила внимания. Меня насторожило другое. Хозяйки «Теремка» испугались скандала, который могла устроить дама, потерявшая серьгу. Они попросили меня съездить к женщине, которая взяла украшение. Я выяснила у Кисы ее адрес и что в квартире живут люди по фамилии Утятины. Лиза услышала фамилию и воскликнула:

— Утятина!

А потом сказала про то, как смешно звучит слово «Утятина». У нее то ли в школе, то ли в институте была одноклассница-одногруппница Утенкина, поэтому Лиза и насторожилась. Ну слишком много объяснений из-за ерунды. И еще штришок. Рита и Лиза сначала уговаривали меня поехать к Татьяне, просили им помочь, но едва я произнесла слово «Утятины», как поведение хозяек изменилось. Теперь они, наоборот, пытаются удержать меня от поездки. Странно, правда? Во время скандала на ресепшен, когда богатая постоялица налетела на Веронику, обличала ее в воровстве, Ника впала в истерику, плакала, ей стало плохо, она жалуется, что очень устала. Каждому человеку неприятно, если его обвиняют в воровстве. Но ведь рядом стою я и объясняю: Вероника ни при чем, это я отдала серьгу Татьяне, а та ее взяла. Где повод рыдать? Сейчас я поеду и заберу украшение. Но нет! Ника идет вразнос, слезы сыплются градом, у нее подскакивает давление. Я поняла: что-то тут не так. Почему Буркина так нервничает? Похоже, она живет в постоянном стрессе. И отчего она так уж устала? От того, что угощает несколько человек каждый день чаем? Не трудная, не нервная работа. И я предположила, что беднягу довела до срыва Анфиса Ивановна. Мать Вероники демонстрировала агрессивность. «Алексей чужой, но лучше такой, чем те, кого она всегда находила» — это ее высказывание про зятя. Мне оно показалось очень грубым. Да, многие матери терпеть не могут мужей своих дочерей. Но Фиса подчеркивала: Алексей чужой, совсем чужой. Потом-то я поняла: она знала, что Ника не замужем, была в курсе ее отношений с Валентином и специально в моем присутствии пугала дочь. Я считала слова старухи «чужой, но лучше такой, чем те, кого она всегда находила» грубостью, а Ника-то начинала трястись, опасалась, что мать выложит мне всю правду про Валентина. Скорей всего, после инфаркта и инсульта у Анфисы Ивановны начались проблемы с головой. Старуха боялась темноты, запертых помещений, у нее обострились злобность, желание сделать пакость Нике, которая не стала той дочерью, которую хотела иметь старшая Буркина. Но Анфиса Ивановна еще и старательно, чтобы беспрепятственно хамить Веронике, преувеличивала степень своей хвори, прикидывалась совсем уж безумной, но в реальности таковой не являлась. Она играла и доигралась. Услышав, что маньяку дали в полиции кличку «Призрак дорог», я мигом вспомнила, как старуха заявила: «Она любила Призрака дорог», и пазл неожиданно сошелся.

— Значит, главное действующее лицо Елизавета, — подвел итог Макс, — а не Маргарита.

— Не совсем так, — возразил Костин, — обе хороши. Рита лишила жизни мужа, но она хотела спасти Валентина, поэтому и придумала бросить на шоссе труп Ларисы. Не новый трюк, могу поделиться парой случаев из моей практики, когда матери-жены преступников применяли его, чтобы убедить следствие: их дорогой мужчина не виноват, он сидит в СИЗО, а настоящий преступник гуляет на свободе, продолжает убивать. А вот Лиза не собиралась жить с маньяком, она испугалась, узнав, что сделал Валентин, решила от него избавиться и обрадовалась, когда мужа задержали. И очень огорчилась, когда его отпустили, решила убрать супруга и перевести стрелки на свекровь. У невестки был простой расчет: начнется следствие, оно выяснит прошлое Маргариты, поднимут дело о кончине Льва Валентиновича, догадаются, что вдова поспособствовала смерти композитора. А если не захотят так глубоко копать, то она подскажет, в каком направлении идти. Лиза отменно постаралась, чтобы впутать Маргариту. Дав Валентину стакан с водой, в которой растворила большую дозу бета-блокатора, того самого, которым Рита отправила на тот свет мужа-композитора, Елизавета позвонила свекрови и соврала ей про кастрюлю на горелке. Борисова поехала выключать плиту, она считала невестку дочерью, поэтому ничего плохого не заподозрила. Увидев, что горелка пуста, решила, что сын встал в туалет и погасил огонь. Запись на диктофон Лизавета сделала хитро. Да, ее не резали. Но устройство постоянно включали-выключали. Невестка собирала компромат несколько дней, она вела беседу с Ритой таким образом, чтобы та говорила нужное, а в момент, когда свекровь произносила не то, живо останавливала диктофон. Поэтому записей много, это не один файл, а разные включения, за день их было несколько. Хитро, но глупо. Эксперт вмиг понял, что к чему. Тщательно подготовившись, любящая невестка стала думать, как ей привлечь внимание полиции к Рите, и тут в «Теремок» приехала Лампа. Елизавета всегда проверяет потенциальных постояльцев, так, на всякий случай, гуглит их. Мало ли кто приплывет в санаторий, встречаются алкоголики, воры, которые увозят гостиничные вещи, скандалисты, хулиганы. Таким Лиза вежливо ответит: мест нет. Она знала, что Евлампия Романова жена владельца частного детективного агентства, работает вместе с мужем. И Лиза решила использовать этот шанс. Лампой-то легче вертеть, чем сотрудником полиции, ей можно нашептать всякое, как девочка девочке. Правда, вначале пребывание Романовой оказалось под угрозой, ей нахамила воспитательница Валентина Горкина, потом в люксе прорвало трубу, но в конце концов все устаканилось. Лиза уже приготовилась напроситься к Евлампии на чай, и тут история стала раскручиваться сама. Причем в правильном ключе... Вдове Валентина даже не пришлось ничего подсказывать Лампе. Елизавета инструктировала только Веронику. Она велела Нике соврать, что с ней о помощи Валентину беседовала Маргарита. На всякий случай, приходя к Буркиной, Лиза надевала парик, натягивала свитерок и куртку, как у свекрови. Безутешная вдова решила подстраховаться, хотела, чтобы ее издали приняли за Маргариту.

— Ей это удалось, — заметила я, — фигуры у женщин почти одинаковые. Даже я, зная, что вижу на экране вторую владелицу «Теремка», на какое-то мгновение подумала: может, мы ошиблись, похоже, сейчас в избе Рита. Она стройная, с хорошей осанкой. Слушай, откуда Анфиса узнала, что серийного убийцу сыщики прозвали Призрак дорог? Это же служебная информация!

Володя поморщился.

— Ну что тебе ответить? Кто-то слил каналу «Болтун», что команда Карпова ищет Призрака дорог. Телевизионщики вмиг состряпали программу с прелестным названием «Призрак дорог», Анфиса Ивановна обожала «Болтуна», у нее в комнате стоял телевизор. Бабка включила его в очередной раз и увидела... избу дочери. Репортер радостно вещал: «Я бы предположил, что в этом доме обитает страшный убийца! Маньяк! Душитель! Мужик с топором! Призрак дорог, который лишил жизни не одного человека! Вот я дергаю дверь... О-о-о! Заперто! Призрак ищет очередную жертву!»

— Бред, — поморщилась я.

— А когда «Болтун» вещал другое? — усмехнулся Макс. — Все в его духе.

— Наверное, они делали съемку в тот день, когда в зоопарке был выходной, — продолжил Вовка. — Алексей не приехал из Москвы. Ника повезла Анфису к очередному врачу. Поэтому изба была заперта. Корреспондент болтал в микрофон, что следствие зашло в тупик, глупые полицейские арестовали талантливого доктора Бракова, но его пришлось отпустить, так как он не виновен. Пока кардиолог сидел в застенке, на дороге...

— Что, — удивился Макс, — Анфиса ведь умерла, откуда ты все это узнал?

— Ника рассказала, — пожал плечами Костин, — она пришла домой, мать ей велела: «Глянь на канале «Болтун» запись. Там эту избу показывали!»

Вероника перепугалась, бросилась к компьютеру, смотрит на экран, бледнеет, синеет, трясется, и тут ей мамаша как крикнет в ухо: «Ага! Я поняла, почему ты с доктором спишь! Тебя только подонки интересуют! Докторишка Призрак дорог! Убийца! Маньяк! Самый твой вариант!»

— Удивительно логичный вывод, — фыркнула я, — увидела избу, послушала чушь, подвела итог...

— И случайно попала в точку, — заметил Володя, — не совсем здоровый мозг Анфисы догадался, что к чему. Вероника перепугалась до тошноты в прямом смысле слова, в туалет побежала. Мамочка увидела, какой эффект произвели ее слова, обрадовалась и начала частенько поминать Призрака дорог.

— Высокие отношения, — мрачно сказал Макс.

— Что теперь со всеми будет? — вздохнула я.

— Думаю, Елизавете и Веронике не стоит рассчитывать на снисхождение судьи, — ответил Макс. — Что решат в отношении Маргариты, мне не известно.

— Пятизвездочный теремок — уютное место, — произнесла я, — жаль только, что хозяева там не милые зверушки, а злые ведьмы. Как себя чувствует Галина?

— Физически почти восстановилась, — объяснил Костин, — морально, наверное, ей долго плохо будет. Но старшая Утятина делает вид, что все хорошо, улыбается. Таня счастлива. Света встретила маму из «командировки». Девочке сказали, что поезд, на котором ее мамочка домой спешила, попал в аварию, поэтому Галя вся побитая.

— Неужели Утятина продолжит свою работу? — пробормотала я.

— Об этом ее никто не спрашивал, — ответил Володя, — не наше это дело. Ум есть? Вот пусть им и пользуется, да спасибо скажет, что все для нее хорошо закончилось. И надо быть внимательной, присмотреться к мужику, с которым...

Володя замолчал, потому что в комнату вбежала Киса.

— Ой, дядя Вова, надо правда быть внимательной. Лампа, прости, опять я одну варежку где-то посеяла. Я не внимательная!

Макс обнял девочку.

— Не переживай, Кисуля, ты просто рассеянная.

— Это лучше, чем невнимательная? — уточнила девочка.

— Да, ровно в два раза, — сказал муж.

— Почему? — спросила малышка.

— Видишь ли, дорогая, — с самым серьезным видом произнес Вульф, — невнимательная дама всегда оставляет в метро на диванчике две варежки. А рассеянная непременно принесет одну рукавичку домой.

Литературно-художественное издание
ИРОНИЧЕСКИЙ ДЕТЕКТИВ

Донцова Дарья Аркадьевна

ПЯТИЗВЕЗДОЧНЫЙ ТЕРЕМОК

Ответственный редактор *О. Рубис*
Младший редактор *П. Рукавишникова*
Художественный редактор *В. Щербаков*
Технический редактор *Г. Этманова*
Компьютерная верстка *Г. Клочкова*
Корректор *Т. Бородоченкова*

ООО «Издательство «Э»
123308, Москва, ул. Зорге, д. 1. Тел.: 8 (495) 411-68-86.

Өндіруші: «Э» АҚБ Баспасы, 123308, Мәскеу, Ресей, Зорге көшесі, 1 үй.
Тел.: 8 (495) 411-68-86.
Тауар белгісі: «Э»
Қазақстан Республикасында дистрибьютор және өнім бойынша арыз-талаптарды қабылдаушының
өкілі «РДЦ-Алматы» ЖШС, Алматы қ., Домбровский көш., 3«а», литер Б, офис 1.
Тел.: 8 (727) 251-59-89/90/91/92, факс: 8 (727) 251 58 12 вн. 107.
Өнімнің жарамдылық мерзімі шектелмеген.
Сертификация туралы ақпарат сайтта Өндіруші «Э»
Сведения о подтверждении соответствия издания согласно законодательству РФ
о техническом регулировании можно получить на сайте Издательства «Э»
Өндірген мемлекет: Ресей
Сертификация қарастырылмаған

Подписано в печать 22.02.2018. Формат 80х100$^1/_{32}$.
Гарнитура «Ньютон». Печать офсетная. Усл. печ. л. 14,81.
Тираж 14 000 экз. Заказ 4294.

Отпечатано в ООО "Тульская типография".
300026, г. Тула, пр. Ленина, 109.

ISBN 978-5-04-091866-9

16+

Дарья ДОНЦОВА

Я ОЧЕНЬ ХОЧУ ЖИТЬ
Мой личный опыт

Эта книга о силе. Силе, которая на самом деле есть в каждом человеке, столкнувшемся в своей жизни с онкологическими заболеваниями. Эта книга о человеке, который победил, выстоял, выжил! И – о человеке, которого любит и знает вся страна и который своим примером каждый день доказывает, что рак молочной железы в современном мире – просто одна из болезней, а далеко не приговор.

Дарья Донцова

С момента выхода моей автобиографии прошло три года.
И я решила поделиться с читателем тем, что случилось со мной за это время...

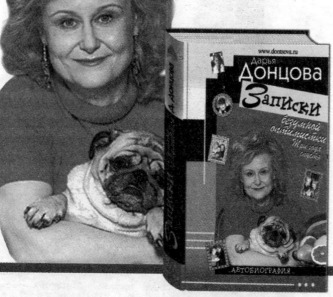

В год, когда мне исполнится сто лет, я выпущу еще одну книгу, где расскажу абсолютно все, а пока... Жизнь продолжается, в ней случается всякое, хорошее и плохое, неизменным остается лишь мой девиз: "Что бы ни произошло, никогда не сдавайся!"